全集自序

從我出版第一部小說『窗外』到今天，已經足足過去了二十六年。有時，眞不相信，四分之一個世紀，就在我的塗塗寫寫中悄然而逝。這二十六年，不管我生命中有多少風風雨雨，多少喜怒哀樂，我的『寫作』，却一直是我生命中的一條主線。在我沮喪時，我會逃遁到寫作裡去，當我歡樂時，我會表現到寫作裡去，當我寂寞時，我用寫作塡補空虛，當我充實時，我又迫不及待要拾起筆來，寫出我的感覺……因而，這漫長的二十六年，我雖然偶爾會蟄伏、會休息，却從不曾眞正停止過寫作。就這樣，細細數來，從『窗外』開始，到『我的故事』爲止，二十六年來，我已出版了四十四本書。

去年年初，因為開放大陸探親，我有幸在離鄉三十九年後，首次回大陸。到了北京，發現我的四十幾部作品，被出版得亂七八糟。當時，就有一種強烈的願望，要好好整理一下這些作品。返台後，又因為有好幾部作品需要再版，我和鑫濤，就決定藉再版之便，重新整理我的作品，改換版本形式，統一編排，出版這套『瓊瑤全集』。

因為時代已經不同，出版品也隨著時代進步，現在的紙張、字體、編輯、版本形式……都遠勝以往。再加上，我過去的作品，有的書太薄（如『月滿西樓』），有的書太厚（如『幸運草』）。有的排版太密，有的又排得太鬆，有的字體太小，有的又太大。這一次，我們把所有的缺失更正，做完全的調整。作品內容，也有更改，例如，『六個夢』一書中，居然有七個故事，這是件挺荒謬的事，如今，抽出一個故事，還原成『六個夢』。又例如，『月滿西樓』只是一部中篇，勉強成書，總覺份量不夠，現在，加入另外幾部中篇，重新結集。

在我這所有的作品中，最特別的是『不曾失落的日子』。這部書嚴格說來，是一部我自己『殘缺的自傳』，有『童年』部份，缺掉了成長以後的過程。今年春天，我將此書重新寫過，把我成長以後的部份補齊，改名爲『我的故事』。這部書，在我的全集中取代了『不曾失落的日子』。因而，四十四部書，經過整理後，變成四十三部。至於『不曾失落的日子』中的散文部份，以後，可能會滙集我的其他散文，出版一部散文專輯。

當然，重新編撰一套全集，是件工程浩大的事，以往的書中，錯字別字漏字都很多，借此機會，全部修正。這樣浩大的工程，不是一朝一夕就能完成。但，我們總算開始了這件工作。在重選封面，重選字體，重選版本形式……的時候，我雖忙碌，却也興奮。過去的作品，不管好不好，都是我生命中最重要的一部份。重新編撰，重新出版，也算我的一種『重生』吧！

從來不曾覺得自己的作品寫得好，也從來不曾自滿過。每次出書，都戰戰兢兢，如履薄冰。生怕自己的作品禁不起讀者的考驗，和時間的考驗。現在，在『全集』出版前夕，這種情懷，仍然强烈。總覺得自己渺小平凡，寫出的每部書，也都是一些渺小平凡的故事。儘管書中常有『轟轟烈烈』的感情，那也只是『平凡人』的感情。

且讓我把這套『瓊瑤全集』，獻給全天下平凡的，和不平凡的朋友們！

瓊瑤寫於一九八九年七月三十一日
於台北可園

1 望夫崖

在北方，有座望夫崖，
訴說著，千古的悲哀，
傳說裡，有一個女孩，
心上人，飄流在海外，
傳說裡，她站在荒野，
就這樣，痴痴的等待！

這一等，千千萬萬載，
風雨中，她化爲石塊！
在天涯，猶有未歸人，
在北方，猶有望夫崖！
山可移，此崖永不移，
海可枯，此情永不改！

望夫崖佇立在曠野上，如此巨大，如此孤獨，帶著亙古以來的幽怨與蒼涼，佇立著，佇立著。那微微上翹的頭部，傲岸的仰視著穹蒼，像是在沉默的責問什麼、控訴什麼。這種責問與控訴，似乎從開天闢地就已開始，不知控訴了幾千千幾萬萬年，而那廣漠的穹蒼，依舊無語。

夏磊就站在這望夫崖上，極目遠眺。

崖下丘陵起伏，再過去是曠野，曠野上有他最留戀的樺樹林，樺樹林外又是曠野，再過去是無名的湖泊，夏秋之際，常有天鵝飛來棲息。再過去是短松崗，越過短松崗，就是那綿延無盡的山峰與山谷……如果騎上馬，奔出這山谷，可能就奔馳到世界以外去了。世界以外有什麼呢？有他想追尋的海曠天空吧！有無拘無束的生活，和無牽無掛的境界吧！

他極目遠眺，心嚮往之。

走吧！走吧！騎上馬，就這樣走吧！走到『天之外』去，唯有在那『天之外』的地方，才能擺脫掉自己渾身上下的糾糾纏纏，和那千愁萬緒的層層包裹。走吧！走吧！

但是，他脚下踩著的這個崖名叫『望夫崖』，如果他走了，會不會有人像傳說中那樣『變成石塊』？

他打了個寒噤。不會的！沒有人會變成石塊的！這望夫崖只是地殼變化時的一種自然現象罷了！現在已經是民國八年了，五四運動都過去了，身爲一個現代化的青年，誰會去相信『望夫崖』這種傳說？可是……可是……爲什麼他的心發著抖，他的每根神經都繃得疼痛，他的腦子裡、思想裡，翻騰洶湧著一個名字：

『夢凡！夢凡！夢凡……』

這名字像是大地的一部份，從山谷邊隨風而至，從樺樹林，從短松崗，從曠野，從湖邊，從丘陵上隆隆滾至，如風之怒號，如雷之震野：

『夢凡，夢凡，夢凡，夢凡……』

怎麼把自己弄到這個地步呢?怎麼這樣割捨不下，進退失據呢?怎麼把自己綑死在一座崖上呢?怎麼爲一個名字這樣魂牽夢縈呢?怎麼會?怎麼會?怎麼會……

2 父親

時間追溯到十二年前。

那年，夏磊還沒有滿十歲。

在東北那原始的山林裡，夏磊也曾有過無憂無慮的童年。跟著父親夏牧雲，他們生活在山與雪之間，過著與文明社會完全隔絕的歲月。雖然地勢荒涼，日子卻並不枯燥。他的生命裡，有蒼莽無邊的山野，有一望無際的白雪，有巨大聳立的高山森林，有獵不完的野兎獐子，採不完的草藥人參。最重要的，生命裡有他的父親，那麼慈愛，卻那麼孤獨的父親！教他吹笛，教他打獵，教他求生的技能，也教他認字——在雪地上，用樹枝寫名字，夏磊！偶爾寫句唐詩：『飄飄何所似？天地一沙鷗！』也寫：『亂山殘雪夜，孤獨異鄉春！』

父親的故事，夏磊從來不知道。只是，母親的墳，就在樹林裡，父親常常帶著他，跪在那墳前上香默禱，每次禱告完，父親會一臉光彩的摸摸他的頭：

『孩子，生命就是這樣，要活得充實，要死而無憾！你娘跟著我離鄉背井，但是，死而無憾！』父親抬頭看天空，眼睛迷濛起來：『等我走的時候，我也會視死如歸的，只是，大概不能無憾吧！』他低下頭來瞅著他：『小磊，你就是我的「憾」了！』

他似懂非懂，卻在父親越來越瘦弱，越來越憔悴，越來越沒有體力追逐野獸，翻山越嶺的事實中驚怕了。父子間常年來培養出最好的默契，很多事不用說，彼此都會瞭解。這年，從夏天起，夏磊每天一清早就上山，瘋狂的挖著找著人參，獵著野味……跑回小木屋燉著、熬著，一碗一碗的捧給父親，卻完全治不好父親的蒼白。半夜，父親的氣喘和壓抑的咳聲，總使他驚跳起來，無論怎麼捶著揉著，父親總是喘得上氣不接下氣，身子佝僂抽搐成一團。

『死亡』就這樣慢慢的迫近，精通醫理的父親顯然已束手無策，年幼的夏磊滿心焦灼，卻完全不知如何是好。就在這時候，康秉謙闖入了他們的生活。

那天，是一陣槍聲驚動了夏磊父子。兩人對看一眼，就迅速的對槍響的地方奔去。那個年代，東北的荒原裡，除了冰雪野獸，還有土匪。他們奔著，腳下悄無聲息。狩獵的生活，已養成行動快速而無聲的技能。奔到現場附近，掩蔽在叢林和巨石之間，他們正好看到一群匪徒，拉著一輛華麗的馬車和數匹駿馬，吆喝著，揮舞著馬鞭，像一陣旋風般捲走，消失在山野之中。而地上，倒著三個人，全躺在血泊裡。

『小磊！快去救人！』夏牧雲嚷著。

夏磊奔向那三個人，飛快的去探三人的鼻息。兩個隨從般的人已然斃命，另一個穿著皮裘，戴著皮帽的人，卻尚有呼吸。父子倆什麼話都沒說，就砍下樹枝，脫下衣裳，做成了擔架，把這個人迅速的抬離現場，翻過小山丘，穿過大樹林，一直抬到父子倆的小木屋裡。

這個人，就是在朝廷中，官拜禮部侍郎的康大人——康秉謙。

後來，在許許多多的歲月裡，夏磊常想，康秉謙的及時出現，像是上天給父親的禮物。大概是父親在母親墳前不斷的默禱，終於得到了回響。命運，才安排了這樣一番際遇！

康秉謙在兩個月以後，身體已完全康復。他和夏牧雲在曠野中，歃血爲盟，結拜爲兄弟。

那個結拜的場面，在幼年的夏磊心中，刻下了那麼深刻的痕跡。那天的天空特別的藍，雪地特別的白，高大的針葉松特別的綠，裊裊上升的一縷煙特別的清晰，香案上的蘋果特別的紅……

康秉謙一臉正氣凜然，而父親——夏牧雲顯得特別的飄逸，眼中，閃著那樣虔誠熱烈的光彩。

『皇天在上，后土在下！』康秉謙朗聲說。

『天地日月爲鑑！』夏牧雲大聲的接口。

『我——康秉謙！』

『我——夏牧雲！』

『在此義結金蘭！』

『拜爲兄弟！』

『從此肝膽相照！』

『忠烈對待！』

『至死不渝，永生不改！』

兩人對著香案，一拜，再拜，三拜。

夏磊看得痴了。這結拜的一幕，和兩人說的話，夏磊在以後的歲月裡，全記得清清楚楚。結拜完了，父親把夏磊推到康秉謙面前：

『快跪下，叫叔叔！』

夏磊跪下，來不及開口叫，康秉謙已正色說：

『不叫叔叔，叫乾爹吧！』

父親凝視康秉謙，康秉謙坦率的直視著父親：

『你我兄弟之間，還有什麼顧慮呢？把你的牽掛，你的放心不下，全交給我吧！我們康家，世代書香，在北京有田產有房宅，人丁興旺，我有一子一女，不在乎再多一個兒子！從今以後，我將視你子如我子，照顧你子更勝我子，你，信了我吧！』

父親的眼眶紅了，眼睛裡充淚了，掉過頭來，他啞聲的命令夏磊：

『快叩拜義父！叫乾爹！』

夏磊驚覺到有什麼不對了，好像這樣磕下頭去，就會磕掉父親的生命似的。他心中掠過一陣尖銳的刺痛，跳起身子，他仰天大喊了一聲：

『不……』

一面喊著，一面拔腳衝進了樹林裡。

那天黃昏，父親在山崖上找到了他。

『小磊，我已經決定了！明天，你就跟著你乾爹到北京去！』

『不！』夏磊簡單的回答了一個字。

『一定要去！去看看這個京城重地，去做個讀書人……這些年來，爹太自私，才讓你跟著我當野人！你要去學習很多東西，計畫一下你的未來……』

『不！』

『你沒有說「不」的餘地！這是我的決定，你就要遵照我的決定去做！』

『不！』

『怎麼還說「不」？』父親生氣了。『你留在這山裡有什麼出息？如果我去了，誰來照顧你？』

『如果我去了，誰來照顧你？』夏磊一急，憋著氣反問了一句，臉漲紅了，脖子都粗了。『我高興在山裡，是你把我生在山裡的！我就要留在山裡！』

『我選擇山裡，是我二十五歲以後的事！等你長大到二十幾歲，你再選擇！現在，由不得你！你要到北京去！』

『不！』

『你聽不聽話？』

『不！』

『你氣死我了！』父親氣得渾身發抖，氣得又咳又喘。『好！好！你存心要氣死我……你氣死我算了……』

『爹！』他大嚷著，心裡又怕又痛，表面卻又強又倔。『我走了，誰給你去採藥？我走了，誰給你打野兔吃？誰給你抓野雞呢？』

父親瞪了他好半晌，默默不語。

那天夜裡，父親吊死在母親墳前的大樹上。在夏磊的枕前，他留下了一張紙條：

『小磊：爹走了！爲了讓你不再牽掛我，爲了讓你不再留戀這片山林，爲了讓你全心全意去展開新的生命，爲了，斷絕你所有的念頭，爹——先走一步！你要切記，永遠做你乾爹的好兒子，不許辜負他的教誨！因爲，他的教誨，就是爹的期望！』

夏磊看著已斷氣的父親，握著父親的留字，他簡直無法相信這是事實，父親死了！死了！死了！這件最害怕的事驟到眼前，他快要發狂了。悲痛和無助把他像潮水般淹沒，他衝進樹林裡，跌跌撞撞的撲向樹幹，瘋狂的用拳頭捶著樹，大聲的哭叫了出來：

『爹！我不要你死！我不要我不要！爹！你活過來！你活過來……爹……娘……』

他哭倒在樹林裡，力竭聲嘶。樹林裡的鳥雀，都被他的哭聲驚飛出來。

康秉謙取下了夏牧雲的屍體，他掘了個洞，把夏牧雲葬在他妻子的旁邊。

『牧雲兄！現在，你就安心的去吧！再也沒有人世的重擔可以愁煩你了！再也沒有身體的病痛可以折磨你了！而今而後，你的兒子也就是我的兒子了！你——請安息吧！』

他走過去擁住夏磊。而夏磊，撲倒在父母墳前，只是不斷的，不斷的哀號：

『爹，娘！你們都不管我了？你們都不要我了？爹！娘！爹！娘……』

他喊著喊著，喊得聲音沙了，啞了，再也喊不出聲音來了，他還是喊著，啞聲的喊著，沙聲的喊著，直到無聲的喊著。

3 夢凡

第一次見到夢凡，就在康家那巍峨的大門裡。

夏磊跟著康秉謙，一路上換車換馬換轎子，走了將近一個月，才走到北京城。這一路的火車汽車馬車人力車，對他全是新奇，而城市裡的人來人往，車水馬龍，更是見所未見，聞所未聞。但是，這些新奇的事事物物和父親的死亡比起來，仍然太渺小太微不足道了。他在整個旅途中，都十分沉默，也從不肯喊康秉謙為『乾爹』。他強硬、冷漠，咬牙忍受著內心的孤苦，把自己整個心靈，封閉在一道無形的圍牆以內，不讓任何人走進這道牆。

但是，他走進了康家的圍牆。

忽然間，發現自己置身在一個幻境般的大花園裡，確實讓他眼花撩亂。從不知道，住宅可以擁有這麼多的房間。眼前的假山、湖泊、樓台、亭閣、水榭、小橋，和那曲曲折折的長迴廊，簡直是不可思議的！他還沒有從這份驚愕中清醒過來，就又被康家那簇擁而至的人所驚呆了！一個家庭裡怎麼會有這麼多人呢？大家從各個角落奔過來，叫老爺的叫老爺，叫大人的叫大人，叫名字的叫名字，叫爹的叫爹，……一時間，站著的，跪著的，倒頭就拜的……把小小的夏磊看得目瞪口呆。而康秉謙，卻推著夏磊，不停的說：

『小磊，這是你乾娘，小磊，這是你眉姨娘，這是胡嬤嬤，這是康勤、康忠、康福……這是夢華……這是銀妞、翠妞、老李……』

夏磊還什麼人都鬧不清楚，就被一個雍容華貴的女人擁進了懷裡，一陣幽幽的清香竄入鼻內，皮膚接觸的是綾羅綢緞的酥軟，眼光接觸的是珠圍翠繞的美麗，耳內聽到的是慈祥無比的溫柔：

『哦！這就是我們恩公的孩子了！小磊，我是你乾娘，我會好好的疼你！我會好好的憐惜你……你放心，從此你就是我們家裡的少爺了！』

夏磊三歲失去親娘，以後就沒和女性接觸過，這樣被擁在一個女人的懷中，眞是渾身不自在。他扭動了一下肩膀，硬生生掙扎出了康太太——詠晴的懷抱。

詠晴呆了呆，抬頭看秉謙：

『老爺啊，你平安回來就好！以後再也不要遠行了！你實在把我們全家都嚇得魂不守舍啊！』

『是啊！是啊！』幾百個聲音在接口：『我們早燒香，晚燒香，總算把你給盼回來了！老爺啊……』

『老爺鴻福齊天，遇難呈祥，轉危爲安，我們大家給老爺磕頭道賀……』

一地丫頭、老媽子、家丁、僕傭、隨從，全磕下頭去。

夏磊眞的眼花撩亂，糊裡糊塗了。

『爹……』

一聲清脆無比的呼喚，拉長了尾音，帶著眞摯的思念和孺慕的崇拜，嬌嬌嫩嫩的傳了過來。

夏磊聞聲抬頭，只見一個穿著紅色繡花衣裳，戴著一身珠珠串串，梳著兩條大髮辮的小女孩兒，沿著那迴廊狂奔而來，身上的珠珠串串發出叮叮噹噹的細碎聲響，頭上的簪飾搖搖顫顫……康秉謙張開了雙手，喜悅滿佈在他風塵僕僕的臉上，他憐愛至極的喊了一聲：

『夢凡！』

『爹爹！』夢凡撲進秉謙的懷裡，臉上又是淚又是笑。『爹爹！我知道你會回家的！康勤說你失蹤了，可是，我就知道你會回家的！娘哭，眉姨哭，哥哥哭……大家哭，我就是不哭，因爲我知道你一定一定會回家的……』

清清脆脆的聲音，嘰嘰呱呱的說著。

『還說呢！』九歲的夢華挺身而出。『不哭不哭？是誰半夜跪在祠堂裡求爺爺奶奶保護呢？是誰跑到樺樹林裡去偷偷哭呢？』

『哥哥，』夢凡把埋在秉謙懷中的頭抬起來，細著嗓音說：『你好討厭喲！』

大家笑了，康秉謙也笑了。

『來！夢華，夢凡，』康秉謙拉過自己的一兒一女，又拉過夏磊來：『這是你們的磊哥哥，他比你們兩個大一點點，以後，你們就叫他磊哥哥！小磊！』他回頭看夏磊：『這是夢華和夢凡！』

夏磊瞪著眼，一語不發的看著夢華和夢凡，這樣漂亮的孩子，夏磊從來沒有見過。夢華戴著小帽，腦後拖著辮子，唇紅齒白。夢凡——夢凡眉目如畫，眼睛水汪汪的，夢凡是世界上最好看的女孩兒。

『爹，』夢凡推推秉謙：『他怎麼剪了辮子？』

『他一直住在東北的山上，他爹……沒時間給他梳頭，所以剪了辮子！』

『他爹呢？』夢凡急急問。

『他爹死了！他從此是咱們家的孩子了！』

『哦……』夢凡哦了一聲，又拉長了細細的嗓音，一個字裡，包含著幾百種同情。

『來！』秉謙抬頭看著一大群的丫環僕傭。『你們大家聽著，夏磊是我的義子，從此和夢華夢凡平起平坐！你們來見過磊少爺！』

丫環僕傭等驚訝、好奇的看著夏磊，往前一步，一字排開，全體跪下。

『見過磊少爺！』

夏磊大吃一驚，從沒見過這等陣仗。他連退了兩步，逼出一句話來：

『我不是少爺！』

『哦，爹爹，』夢凡小小聲說：『原來他會說話！』

他瞪了夢凡一眼。搞了半天，妳把我當啞巴不成？

『胡嬤嬤，』詠晴拿出女主人的氣勢，開始分派了。『妳以後就侍候著磊少爺！把清風軒那間大臥房收拾起來，給他住吧！至於衣裳，只好先穿夢華的，再讓裁縫來做！現在，先帶他去洗個澡吧！』

『是！』胡嬤嬤應聲而出，去牽夏磊的手。『走吧！』

夏磊抽回了自己的手，非常僵硬的跟著胡嬤嬤而去。

那晚，夏磊坐在他那大臥房的炕床上，完全不想睡覺。柔軟的床褥，繡花的被面，雕花的床沿、潔白的衣褲……一切一切，都太陌生了，太不眞實了。連胡嬤嬤，那整潔清爽，面目慈祥的中年女傭，也是陌生的。

『磊少爺，想不想吃點什麼呢？』胡嬤嬤柔聲問。

『不！』

『那麼，要不要看什麼書呢？』

『不！』

『去花園裡逛逛、玩玩呢？』

『不！』

胡嬤嬤沒轍了。剛到康家的夏磊，似乎只會說『不』字。胡嬤嬤望著夏磊，兩人大眼瞪小眼，不知道該怎麼辦才好。就在這時候，門口有聲音在響，兩人同時往門邊看去。小夢凡站在門外，伸個頭往裡面偷看。

『哈！夢凡小姐！』胡嬤嬤找到了救星一般：『妳來和磊哥哥聊聊天吧！他大概是想家，又不吃又不睡的，我拿他眞沒辦法喲！』

夢凡再伸頭往裡看，忽然間，她跨過門檻，小跑步的跑到了床邊，很快的把手中一件軟呼呼的東西往夏磊懷裡塞去，說：

『我把我的「奴奴」送給你！有了「奴奴」，你就不會想家了，你可以和「奴奴」一起睡，把你心裡的話，都說給他聽！』

『奴奴？』夏磊詫異的看著手中毛絨絨、黑忽忽的東西，驚愕極了。『這是什麼東西？』

『是狗熊娃娃呀！』

狗熊娃娃？聽都沒聽過的詞兒，太奇怪了。他瞪著手裡的狗熊，原來城裡的人，和假狗熊一起睡覺？太奇怪了！他抬眼看夢凡，夢凡滿眼睛的笑，對那假狗熊投去不捨的一瞥。忽然間，他有些體會出來，她對這『奴奴』是多麼珍惜難捨的。一句『我不要』已經到了嘴邊，不知怎的竟嚥回去了。伸手摸摸那充滿『女孩子氣』的玩具，居然也在那假狗熊身上，摸到了一些溫暖。

第二天早上，全家坐在康家餐廳裡吃早飯。

夏磊面對滿桌子的菜餚，再一次目瞪口呆。怎麼可能呢？早餐就有木須肉？炸小丸子？還有熱騰騰的包子、餃子、麵餑餑、小窩窩頭？和許多叫不出名目來的各色小點心！詠晴和心眉兩位夫人，忙不迭的給夏磊碗裡挾菜：

『嘗嘗這蒸餃，是香菇餡呢！』

『這是棗泥酥，甜的！』

『要不要來碗炸醬麵，叫廚房裡去下？』

『這蔥油烙餅，要趁熱吃！』

『怎麼不吃呢？動筷子啊！』

『還有碗呢？端起碗來喝點粥呀！』

夏磊被動的拿起筷子，端起碗，望著碗裡堆得像小山般的菜餚，忽然間思潮泉湧，喉中梗起了一個硬塊。他『哐』的放下碗筷，跳起身來，拔腳就往屋外跑去。

『怎麼了？怎麼了？』詠晴不解的嚷著。

『讓他去吧！』秉謙看了一眼胡嬤嬤：『讓他到後面樺樹林裡去透透氣吧！只有那兒，和他的東北有一點點像！』

夏磊奔進了樺樹林。

四顧無人。夏磊抬頭看樹，看天，看曠野，看曠野外的短松崗，和遠處綿延不斷的山峰。他再也壓制不住自己激動的情緒，他放聲狂叫：

『不要……不要……不要……不要……』

一面叫，一面奔跑，每碰到一棵樹，就對那棵樹拳打腳踢。他瘋狂的奔竄，瘋狂的大喊，最後，停在一棵巨大的樺樹前面，他捶著樹幹，捶到拳頭破了皮。

『不要……不要……不要……不要……』

『磊哥哥！你做什麼？你嚇死我了！』

夏磊一驚抬頭，夢凡捧著一盤包子點心走進樹林，被夏磊如此強烈的情緒發洩，嚇得手一鬆，包子饅頭蒸餃窩窩頭散了一地。夢凡急急奔上前來，去拉夏磊的胳臂：

『你不要什麼？你才不要呢！不要這樣！不要捶那個樹幹，你看，你的手流血了！你……你爲什麼要這樣子嘛！』

夏磊望著夢凡，十歲的孩子，再也藏不住滿腔的傷痛，心裡的話，不能不說了：

『我不要這樣啊，我不甘心啊！剛才，吃飯的時候，我只是想……我爹，從來沒吃過那麼好的菜……我很想，留下來給爹吃……』

話哽在喉中，說不下去，淚，就奪眶而出了。

八歲的小夢凡呆呆看著夏磊，似乎眼淚是有傳染性的，她眼眶一紅，淚水也滴了下來。

『可是……磊哥哥，』她輕聲說：『我爹，他愛你，像你爹一樣啊！』

說著，她就抓起夏磊流血的手，鼓著腮幫子，拚命對那傷口吹著氣。

從小，夏磊在山中奔奔跑跑，幾乎經常受傷。但他從來不知道用嘴吹氣可以止痛。但，小夢凡所吹的氣，確實收到止痛的療效——不止手上的傷，心口的傷也在內。

在以後的歲月中，夏磊常常回想，夢凡，大概就在他那懵懂的年紀裡，就這樣進駐了他的心靈。

4 陀螺

夏磊和夢華的戰爭，是從一個陀螺開始的。

就像沒見過玩具狗熊一樣，夏磊從不認識陀螺。

剛到康家，要學習的事實在太多，要熟悉的人也實在太多。儘管康家上上下下待夏磊都好，夏磊始終無法排除自我的孤獨。他落落寡歡，不愛說話，不合群，也不做任何遊戲。他為自己所設的那堵圍牆，仍然關得緊緊的。

這天，夏磊站在花園裡，看着遠處的雲和山發楞。忽然間，有個陀螺打到了他的腳邊。他驚奇的看著那個旋轉不停的東西，太奇怪了！自從到康家，奇怪的東西眞不少。

『嗨！』夢華興高采烈的抓起陀螺。『我們來比賽好不好？』

『這是什麼？』

『陀螺！』夢華大聲說：『你連陀螺都沒有見過嗎？』夢華臉上，不由自主的，浮起輕蔑的表情。

『借我看看！』夏磊拿過陀螺，開始上下翻找，想找出會轉的理由。木製的陀螺構造簡單，翻來覆去看不出名堂。

『你到底要玩還是不要玩？』夢華不耐的說，一把搶回了陀螺：『我玩給你看！』

夢華用繩子繞在陀螺上，一抽一甩，陀螺在地上不停的旋轉，煞是好看。夏磊呆住了。

『這樣就會轉？裡面有機關嗎？爲什麼會轉？』

『因爲有鞭子呀！呆瓜！』

夢華開始抽打陀螺，每當陀螺快倒下，鞭子就抽下去，陀螺又繼續旋轉。太奇怪了，眞是太奇怪了。

『借我試一下！』

夏磊拿起繩子和陀螺，依樣葫蘆，一甩之下，陀螺落在老遠的台階上，跳了跳，就躺下了。

夏磊太不服氣了，拾起陀螺，再繞，再甩，陀螺飛上屋簷，落下來，又躺下了。夏磊執拗起來，心浮氣躁的拾起陀螺，又要繞。

『喂喂！』夢華生氣了。『那陀螺是我的吔，還給我！又不肯比賽，又霸佔別人的陀螺！』

夏磊已經和那個陀螺卯上了，根本聽不見夢華的吼聲。他兀自繞著甩著，陀螺滿花園滾著。

『還我！還我！』夢華滿花園追著陀螺，奈何夏磊手腳靈活，總是搶先一步拾起陀螺。夢華這一下氣炸了，開始去搶鞭子，夏磊高舉雙手，繼續繞著陀螺，就是不讓夢華得手。夢華一怒之下，對著夏磊的肚子，就一拳打去。『笨蛋！不會玩還搶人家的東西！笨蛋！野人！蠻子！』

夏磊一怔，莫名所以的看著夢華。夢華越想越氣，又對著夏磊一腳踢去。

『你走！你走！你不要來我家！我們家不要你！』

夏磊負傷的瞪視著夢華，把繩子陀螺全丟在地上。夢華去撿陀螺，正好夏磊拔腳走開，兩人一撞，夢華站不穩，一腳踩在陀螺上，就摔了個四腳朝天。

『哇！』夢華何曾受過這種氣，放聲就哭。『你搶我的陀螺，你還打我！哇！』他高聲哭叫起來：『磊哥哥打人……哇……磊哥哥是強盜土匪，哇……』

這一哭不打緊，詠晴身邊的兩個丫頭銀妞翠妞，秉謙的姨太太心眉、還有夢凡和胡嬤嬤，都衝了過來，扶小少爺的扶小少爺，拍灰的拍灰，擦眼淚的擦眼淚……心眉看著夏磊，一臉的不可思議，收養的孩子居然敢對小少爺動武？

『小磊，你怎麼可以打夢華呢？他是咱們家的小祖宗呢！來來來，拉拉手，講和吧！』

『嗚哇……哇……』夢華哭得更大聲。『我不要跟他講和！他是野人！我討厭他！他不會玩陀螺，又要搶人家的陀螺！我討厭他！』

夏磊驚怔的看著夢華，心裡沉甸甸的壓上了什麼，只覺得無聊已極。他看著地上那個陀螺，走過去，他一腳對陀螺踢去，陀螺飛進了康秉謙的書房，『哐啷』一聲，不知道把什麼東西打碎了。他回過身子，看到呆若木雞的夢凡，和滿臉驚慌的胡嬤嬤。

『哎喲！磊少爺！你有話好好說啊！這下可闖禍了！』胡嬤嬤直搓著手。『砸壞了老爺的古董，你可怎麼好？』

正說著，康秉謙已手持陀螺，怒沖沖的走出房。

『誰把陀螺扔進房裡來的，是誰？』康秉謙怒吼著。

大家都呆呆站着，只有夢華精神抖擻的指着夏磊：

『是他！是他！他一腳把陀螺踢進去的！』

『你用腳踢陀螺？』康秉謙困惑極了，大惑不解。轉而一想，明白過來，聲音立刻柔和了：『你不知道陀螺是要用繩子抽的，是不是？你以爲是用腳來踢的，是不是？』

『不是！不是！』夢華叫著嚷著：『他學不會，學來學去學不會！他故意用腳去踢！他故意的！』

『是嗎？』康秉謙看著夏磊。『你故意的？』

夏磊發現人人都瞪著自己，好像自己是個怪獸似的。他忽然生出極大的憤怒來。

『是的！我故意的！我就是要用腳踢！』他一仰下巴，在衆人的驚愕注視下，轉身就走。我回東北去！他想。我回到小木屋去！那兒沒有輕視的眼光，沒有種種的規矩，沒有責難的聲音，也沒有人罵他土匪、強盜、小野人……

他並沒有走成。東北在什麼方向，他實在搞不清楚，要從大門出去，還是後門出去，他也搞不清楚。來的時候又是車又是馬，還走了一個多月，回去要走多久？他太沒把握了。何況，那晚，夢凡拿了一個陀螺，一根繩子，走進他的房間。

『我把我的陀螺送給你！』她綻放著一臉的笑。『你只要常常練習，陀螺就會一直轉一直轉的……』

他對陀螺太好奇了。他無心計畫回東北了。接下來的日子，他忙不迭的偷偷練習。真的，陀螺會一直轉一直轉。夢凡給他的那個陀螺，漆著紅白相間的條紋，頂上還有朵小藍花，轉起來真是好看極了。

5 追風

夏磊和夢華的第二次衝突，起因是『追風』。

『追風』如今已是一匹壯碩的大馬了，載著夏磊和夢凡兩人，都能在曠野、樹林、草原和山丘上飛馳。終有一天，『追風』也能載著夏磊，直奔那『天之外』去吧！但是，當年，追風初來康家，卻是一匹只有夢凡那麼點兒高的小馬。

『磊少爺！磊少爺！』胡嬤嬤上氣不接下氣的嚷著：『快去後院裡瞧瞧去，老爺買了一匹小馬來送給你呀！』

『小馬？』夏磊不信任的張大了眼睛：『小馬？』他大聲問著，拔腳就直衝向後院。

眞的！一匹紅褐色的小馬，正在後院裡吃著乾草。康秉謙在對康勤康忠交代養馬之道，夢凡夢華全興奮得脹紅了臉，喘著氣在旁邊又跳又叫：

『爹！你眞偉大，你怎麼想起買小馬！』夢凡又拍手又笑又蹦：『是活的小馬吔，不是玩具吔！』

『爹！有沒有馬鞍呢？我現在就騎可不可以呢？』夢華過去拍撫馬的鬃毛，興沖沖的問。

『別鬧別叫！』康秉謙的眼光掃向三個孩子，落在腳步躊躇的夏磊臉上。『這匹小馬是我買給小磊的，你們兩個要騎，一定要得到小磊的同意！』秉謙走過去，把夏磊推到小馬旁邊。『瞧！這是你的小馬，以後，想家的時候，就騎著小馬，到樺樹林裡去走走，到後面山上去跑跑，最遠，不要越過「望夫崖」！』

夏磊目不轉睛的瞪視著那匹小馬。看到小馬那溫馴的黑眼珠，又聞到小馬身上那種熟悉的乾草和牲口的氣息，他覺得自己整顆心都熱烘烘的，在胸腔裡膨脹起來。他眞想擁抱康秉謙呀，他眞想高聲喊出自己的狂喜呀！但他仍然不習慣在人前表達感情，壓制了要歡呼的衝動，他只是吶吶的、呼吸急促的、不太相信的問：

『是……給我的？眞的，是，給我的？』

『是呀是呀！』康秉謙說：『你爹告訴過我，你們以前有一匹很漂亮的馬……』

『牠的名字叫「追風」！』夏磊接口。『牠跑得和風一樣快！可是，牠後來好老好老，生病死掉了！』

『現在，你又有一匹「追風」了！』康秉謙柔聲說，抬頭看康勤。『康勤，給牠把馬鞍配上！』

『是！』康勤忙著去配馬鞍。『磊少爺，趕快來騎騎看！』

夏磊還來不及從興奮中醒覺，夢華已一衝上前，攔住了馬，大聲的嚷了起來：

『爹！你偏心！爲什麼把小馬送給磊哥哥？我要小馬！爹！你送給我！磊哥哥如果要騎，先要得到我的同意！我要小馬！我一定要！』

『不行！』康秉謙嚴肅的看著兒子。『你從小，要什麼有什麼，吃的、玩的，你件件不少！小磊……他什麼都沒有，難得……找到一件他喜歡的東西……』

『不不不！』夢華任性的跺著腳：『我什麼都不要！我只要小馬！我把我的東西統統送給他，我全不要了，就要這匹小馬……』

『胡鬧！』康秉謙有些生氣了。『我說給小磊的就給小磊，誰都不許再多說一句！』他瞪著夢華：『從今以後，你要學著兄友弟恭！不能如此霸道！』

『爹！你偏心！你偏心！』夢華大喊大叫。

『我看，不是我偏心，是你被寵得無法無天了！』康秉謙氣沖沖的說，拂袖而去。

『好了好了，夢華少爺，』康勤息事寧人的笑著：『咱們跟磊少爺打個商量，大家輪流騎，好不好？』

『我不要！』夢華恨恨的怒瞪著夏磊，雙手握著拳。『你這個小野人，你為什麼不回你的東北去！』

『哥哥！』夢凡驚呼著：『爹說過，不可以叫磊哥哥是小野人，不可以罵他，爹說過，我們三個要相親相愛的！你怎麼又罵人了？』

『我就罵！我就罵他！』夢華對著夏磊大吼：『小野人！小野人！小野人！小野人……』他一連串叫了幾十聲小野人。

『哥哥！』夢凡太難過了，眼圈就紅了。『你怎麼這個樣子？你再罵人，我就和你……絕交！』

『絕交就絕交！』夢華喊著：『以後不跟你們一國了！我找天白和天藍去！』嚷完，夢華一掉頭，跑走了。

天白和天藍，這是康家經常提在嘴上的名字，夏磊來康家沒幾天，已經聽到好些人提過這名字，但他無心去注意這個，『追風』帶來的興奮太大了，大得連夢華給他的屈辱，都變得微不足道了。他迫不及待的就上了馬背，熟悉的控著馬繮，他繞著後院小跑了一陣。

『康勤，』他央告著：『打開後門，讓我們去曠野裡走一走！』

『這……不大好吧？』康勤有些猶豫。

『爹說可以的！』夢凡熱烈的說：『爹說，只要不越過望夫崖，就可以的！』

『好吧！』康勤笑了。『沒辦法，我陪你們去吧！』

夏磊太快樂了。他對著夢凡一笑。

『妳也上馬吧！坐在我前面，我會保護妳，不會讓妳摔跤的！』

夢凡眨了眨眼睛，很迷惑的看著夏磊，然後，她掉過頭去，對康勤小小聲的說：

『康勤，原來他……他「會笑」吔！』

康勤聽了，忍不住要笑。夏磊瞪著夢凡：傻瓜，原來妳以爲我不會笑？他鼓著腮幫子，想裝出一副嚴肅的樣子來，卻『噗』的笑出聲。夢凡一見如此，也呵呵笑了起來。

康勤把夢凡扶上了馬背，去打開了後門。夏磊一拉馬繮，就這樣奔馳進樺樹林，又奔馳進曠野，奔馳在北方那耀眼的陽光下了。

6 望夫崖下

一連好幾天，夏磊和夢凡騎著馬在原野裡奔跑。起先，康勤總是跟著，後來，看到小馬十分溫馴，夏磊的技術又非常高明，也就放了心。兩個孩子，在沒有大人的監視下，膽量就大了起來，馬蹄奔馳的範圍，也越來越廣。

樺樹林和曠野，是非常熟悉的。湖畔和短松崗，也都探險過了。杏仁樹林和楓樹林，都不夠深幽。南邊的小徑直通北京大馬路，當然不好玩。西邊的岩石區，卻充滿了原始的奇趣……

這天午後，他們終於停在望夫崖下。

把追風繫在林中，兩人站在聳立的巨崖之下，抬頭望著那高不可攀的巨石，兩人都感到前所未有的震懾。

『這大概就是望夫崖了。』夢凡小聲說。

夏磊抬著頭，仰望那巨崖的頂端，那兒，又凸出另一塊石頭，遠遠望去，像一個女人的頭像。夏磊開始繞著這巨崖的底部走，撥開深草和荆棘，找尋登崖的途徑。

『你要做什麼？』夢凡問。

『爬上去看看！』

『不可以呀！』夢凡大驚。『胡嬤嬤說，望夫崖上面有鬼呀！』她害怕的扯著夏磊的衣袖：『咱們走吧！』

『鬼？』夏磊繼續繞著岩找尋。『我爹說，世界上根本沒有鬼！』

『有的有的！』小夢凡拚命點頭，拚命嚥著氣。『銀妞說，望夫崖上有個女鬼，常常把人從崖上面推下去！所以，不可以上崖！』

夏磊所有的好奇心都被勾了起來。

『這樣啊？』他懷疑的問：『我更要上去看看，那女鬼長得什麼樣子！』

他找著找著，終於找到岩壁上的幾個凹洞，顯然是別人登岩時留下的。他興致大增，手腳並用，就開始爬岩。一面爬，一面對夢凡喊著：

『妳在下面等我，我上去看看，很快就下來！』

小夢凡四面張望，曠野寂寂無人，巨岩在地上投下一個巨無霸似的陰影，看來猙獰可怖。夢凡恐懼的大叫了一聲：

『不！我不敢一個人在下面！我跟你一起上去！』

說著，夢凡忙不迭的也手腳並用，循著夏磊的足跡，往上面爬。從來沒爬過崖，平常，連家裡的梯子都不敢爬，夢凡才上了兩級，已經手腳全發起抖來：

『等等我！等等我！』她喊著。

夏磊回頭一看。

『慢慢走！不要怕！』他鼓勵著。『其實，一點也不難，來，手給我，我拉妳一把！』

夢凡仰著臉，小心翼翼的要騰出一隻手給夏磊，兩條腿抖得更加厲害，心裡怕得要死。手才騰出來，身子就無法平衡，腳一個站不牢，直往下滑去。她尖聲大叫：

『磊哥哥！』

夏磊直衝下崖，去扶住夢凡。夢凡站定，臉色嚇得雪白雪白，烏黑的眼珠睜得好大好大。其實，兩人都沒爬上去多少。

『妳摔著了沒有？摔傷了沒有？』夏磊忙問。

『沒有！』夢凡拍著自己滿衣服的灰塵：『可是，我嚇死了！』她喜歡用『可是』兩個字，從小，這兩個字就是她的口頭語。

夏磊抬頭看看那崖，沒爬上去，實在太遺憾了。

『下次等我一個人的時候，我再來爬！』他下決心的說。此崖，是無論如何要上去的。『我們回去吧！』

回到家裡，胡嬤嬤一看到兩人這一身泥，就嚇了一跳。等到知道兩人去爬望夫崖，就更是三魂少了兩魂半。把兩個孩子，拉到井邊去梳洗一番，她斬釘截鐵的說：

『不可以！以後絕不可以再爬了，那是個不吉祥的地方呀！有好多傳說呀！』

『不吉祥？』夏磊更好奇了。『爲什麼不吉祥？有什麼傳說呢？』

『傳說……傳說很久很久以前，有個婦人在那山頭上望她的丈夫回家，她望了好久好久，丈夫都沒有回來，日子一久，她就化成一塊石頭了，就站在那崖上！』

兩個孩子有點迷糊，可是覺得這故事挺好聽的。

『後來，更可怕的是，有很多情人都選那個地方殉情，還有些女人，失去了丈夫，或者有什麼不如意，就會爬到那崖上去尋個了斷！』

『殉情？什麼是殉情？』夢凡問：『什麼是了斷？』

『就是想不開，往崖下面「啪」的跳下去！』

『跳？』夏磊佩服得五體投地：『這麼厲害？』

『厲害？』胡嬤嬤瞪了夏磊一眼：『撞到地上就死翹翹了！歷年以來，跳崖的人就沒一個救活！所以啊，那個地方全是孤魂野鬼呀！你們兩個給我記著，再也不許去爬那個望夫崖！』

夏磊聽著，覺得那高聳入雲的望夫崖，更加的神祕，更加有種不可思議的吸引力了。總有一天，他會爬上去的。他非常確信這一點。

7 出走

還沒等到他再爬望夫崖，他就離開康家，毅然出走了。

事情的經過是這樣的：

那天一早，夏磊像往常般去馬廐刷馬，一到馬廐，就發現，追風不見了。這一驚非同小可，他喊著，叫著，滿後院找著，康家的幾個忠僕，康勤、康忠、康福、老李全出動了，幫忙找小馬。後門拴得好好的，邊門也拴得好好的，大門也拴得好好的……追風就是這樣不翼而飛。

『追風不見了！追風不見了！追風不見了！』夏磊哭著，叫著，好幾重的院落，他一重重的奔來奔去，悲切萬狀。康秉謙、詠晴、心眉、銀妞、翠妞、胡嬤嬤、小萝凡……全跟著一起亂。

只有夢華，站在花園當中的大槐樹下，背著雙手，好整以暇的說：

『追風走了，已經走到好遠好遠的地方去了，不會回來了！』

『你怎麼知道？』康秉謙驚問著。

『因爲是我把牠放走的！』夢華不慌不忙的說：『昨天半夜裡，我就打開後門，把牠趕到樹林裡，牠起先不肯走，我就一直吼牠，罵牠……牠後來就飛快的跑掉了！』

『什麼？』康秉謙大叫：『你放掉牠？你爲什麼這樣做？』

『因爲我恨死那個小野人了！』夢華坦率的挺著胸膛。『憑什麼他有小馬，我沒有小馬？』

『你……』康秉謙氣得渾身發抖，話都說不出來：『你……這個混帳東西！』他終於大吼出聲，衝過去，一把抓起了夢華，往大廳裡拖去：『康忠，給我拿家法來！我不好好教訓他，我今天就不姓康！』

『老爺呀！手下留情呀！』詠晴悲呼著：『他年紀小，不懂事呀……』

『是啊！是啊！』心眉也跑過去，扯康秉謙的衣袖：『咱們家就這麼一個男丁呀，別打壞了他……』

『老爺啊，息怒呀！』銀妞喊。

『老爺啊，千萬別動家法啊……』

一時間，喊聲、叫聲、求聲，夢華的哭聲，康秉謙的責罵聲……亂成了一團，全體的人都湧進了大廳。接著，鞭打的聲音重重的傳出來，夢華尖聲的哭叫，康秉謙狂怒的吼罵：

『你這樣不仁不義，沒有愛心，沒有仁慈……我簡直白養了你，白疼了你！我打死你，……』

『娘！娘！娘！』夢華哭得上氣不接下氣：『救我！救我！娘！痛死了！娘……』

『秉謙啊！』詠晴逼急了，流著淚喊出一句：『爲了別人家的孩子，你硬要打死自己的孩子嗎？』

夏磊看著，聽著，心中亂糟糟的痛楚著。他抬頭看那雕樑畫棟的樓台亭閣，低頭再看那花團錦簇的重重庭院，感到這一切一切，都不是自己的。自己的世界，在東北的荒漠上，在東北的雪原裡。

那天的紛亂，終於平息。夢華挨了一頓打，全世界的人都去安慰夢華。康秉謙去祠堂裡，對著祖宗牌位生氣。夏磊獨自打開後門，去樹林裡，曠野裡，呼喚著追風的名字。

『追風！你在那裡？追風！你回來哦！追風！追風！追風！你在那裡？』

他把手圈在嘴上，極力呼喚。喚了片刻，覺得有人追隨著自己，他回頭一看，小夢凡屏著氣站在他身後，用手指著前面的楓樹林：

『磊……磊……磊哥哥，』她快樂得顫抖起來：『牠來了！追風，牠，牠，牠回來了！』

他順著她指的方向看過去，果然，追風正揚著四蹄，緩緩奔來，牠那漂亮的馬尾，在風中平舉，馬尾的毛，在陽光中閃耀著千絲萬絲的光芒！太美了！他的追風！太美了！他狂喜的奔過去，狂喜的抱住了追風的頭，狂喜的把面孔埋在追風的鬃毛裡，狂喜的喃喃呼喚：

『追風，哦，追風！追風！追風……』

小夢凡站在旁邊，不知怎的，竟流了一臉的淚。

追風找回來了，夢華也受過了處罰，一場風波，應該就此爲止。可是，午夜夢回，夏磊坐在床沿上呆呆的想，畢竟自己不是康家的孩子，畢竟是個小野人！回東北去！他的念頭又強烈的滋生了；現在有追風了！騎上追風，走啊走啊走……總有一天，會走到東北的！他悄悄起身，找著要帶的東西，把父親留下的笛子繫在腰間，夢凡送的陀螺塞入口袋，夠了！其他都不是自己的東西。他留了一張條子，寫著：

『乾爹，謝謝你給我的小馬。你的家很好，可是，不是我的家，我走了！』

打開後門，騎上追風，他眞的走了。

8 天白

在夏磊童年的記憶中，這一趟『出走』，實在不太好玩。

東北，應該在東邊偏北，夏磊從小受過方向的訓練，所以，他選了東邊偏北的方向。這個方向有小河，涉過小河，是大片的雜樹林，越過雜樹林，是一片荒煙亂草。夏磊騎著追風，在草長及膝的荊棘叢中，走得好不辛苦。似乎走了一百年，也沒走出這片亂草。夏磊的衣服劃破了，手臂上，腿上，全被荊棘刺出血痕。太陽越來越大，然後就往西方墜落。他餓腸轆轆，餓得頭暈眼花。而追風，卻越來越不合作了。

記憶中，他最初是騎著追風走，然後追風不肯走了，他只好下馬，摟著追風走。走了一段，追風又不肯走了，他只好拉著追風走，拉了一段，那追風開始和他拔河，隨便他怎麼拉，牠就是站在草叢中動也不動。

『追風！』夏磊喘吁吁的站著，滿頭滿臉，又是泥又是汗又是雜草。『我知道你很累了，我也很累了！你還有草吃，已經比我強了！我現在餓得肚子嘰哩咕嚕叫，你知不知道？我拉不動你了，請你自己抬起腳來，上路吧！我們這樣走走停停，走到東北，要走幾年呢？追風！求求你，快走吧！』

追風一抬頭，昂首長嘶，好像在抗議什麼。四隻腳賴在地上，沒一隻肯動。夏磊沒轍了，開始去推馬屁股，推了半天也推不動，夏磊一氣，雙手握著拳，衝到馬鼻子前去大吼大叫：

『你跟我耍個性啊？鬧脾氣啊？你喜歡康家馬廄裡的乾草堆，是不是？我也喜歡啊！可是，那是人家康家的地方，康家的草堆啊！你屬於山野，我也是啊！走啊！追風！你不要讓我瞧不起你啊……』

追風又昂首長嘶了一聲，忽然間，在夏磊措手不及之下，撒開四蹄，說跑就跑，速度之快，如箭離弦。就這麼衝出去了。

夏磊大驚失色，追著馬兒就跑，邊跑邊嚷：

『你想累死我！追風，你等等我呀！你有四條腿，我只有兩條腿呀……』

追風充耳不聞，只是往前狂奔。夏磊什麼都顧不得了。草啦、樹啦、石頭啦、藤啦、荊棘啦……全顧不到了，一腳高一腳低的追著馬狂追。追出了這片荒草，追進了一片大松林，追出了松林，眼前忽然出現一條石板路，追風『踢噠踢噠』沿著石板路跑得瀟洒之至，夏磊埋著頭追得辛辛苦苦。就在這時，一陣馬蹄雜沓之聲，還有人聲吆喝，追風又不知爲何急聲長鳴，夏磊一驚抬頭，忽然看見一輛好大的馬車，由兩匹大馬駕著，迎面撞了過來。夏磊這一驚非同小可，他大喊著說：

『追風！小心呀！』

追風畢竟是匹馬兒，就那樣一躍一閃，已經飛身躲過。而夏磊，卻一頭撞在馬車車軸上，在許多人的驚呼尖叫中，摔倒在地，失去了知覺。

夏磊大約只昏過去一盞茶的時間，就清醒了過來。睜開眼睛，發現自己躺在馬車裡，車中，有一個雍容華貴的女人，和一位氣概軒昂的男子，正焦灼的研究著自己。在他們身邊，有個年約五、六歲的小女孩兒，和一個和自己差不多大的男孩子。

『娘！娘！』小女孩兒嚷著：『他的頭在流血，他死了？是不是？他死了！』

『別叫別叫！』男孩子說：『他沒死！他醒了！』

『哎喲！眞的醒了！大概沒事，』那女人著急的仆著身子，摸他的頭髮，用小手絹去擦拭那傷口：『快快！』她回頭說：『千里，咱們趕快走，要車伕駕快一點，不管是誰家的孩子，我們先到了康家再說！』

『對！』那男子應著：『到了康家，秉謙兄和康勤都通醫理，可以先給他治療一下！』他伸頭就對車外喊：

『阿強！快駕車！小心點別再撞著人！』

『是！』

車子轆轆而動。夏磊驚愕極了，怎麼，走了一整天，現在又要被帶回康家了？難道自己根本沒離開康家的範圍嗎？難道追風的腳程那麼慢？追風！一想到追風，他全慌了，趕緊抬起身子，他直往車窗外看：

『追……風！』他衰弱的喊著，頭上好痛，手臂也痛，才支起身子，就又跌回車墊裡：『追風！』他呻吟著：『追風……』

『停車！停車！』那男孩子大聲喊。

車子戛然而停，男孩急忙對他仆過來：

『你說什麼？』他問。

『追……風！』

『追風？』男孩側著頭想了想，又對車窗外望去，忽然一擊掌，恍然大悟的說：『你的馬？』

『對！』

『小馬？棕紅色的小馬！』男孩再一擊掌：『牠的名字叫追風！』

『對……』

『你放心！我去幫你把牠追回來！牠現在正在大樹底下吃草哩！看起來好像餓了幾百年似的……』

男孩一邊說，一邊打開車門，就跳下車去。車中的男人女人齊聲大叫：

『天白！小心一點！』

夏磊再支起身子，往車窗外看去，正好看到男孩牽著追風，走回車子，那追風現在可乖極了。

男孩抬頭，看到夏磊在看，就衝著夏磊一笑。把追風繫在馬車後面，男孩跳回了車上：

『好了！我把你的追風拴好了！』他注視著夏磊，眼光清朗澄澈。『我的名字叫楚天白，這是我妹妹楚天藍，你呢？』

原來這就是天白天藍！夏磊睜大眼睛，望著楚天白——那滿面春風，眉清目秀的男孩子，覺得友誼已經從自己心中滋生出來。他點點頭，應著：

『我叫夏磊！』

『夏磊？』車裡的男子一怔，說：『這可是撞到自家人了！夏磊，不是秉謙從東北帶回來的義子嗎？』他凝視著夏磊：『我是你楚伯伯，這是你楚伯母呀！你怎麼會……追著小馬滿山跑呀？』

怎麼會？說三天三夜都說不完呢！夏磊不語，天白仍然對著他笑。天白，楚天白，他幾乎可以肯定，這個男孩會是他的朋友了！

他沒有估錯，以後，在他的生命中，楚天白始終佔著那麼巨大的位置，是任何人都無法替代的。

9 結拜

那天回到家裡，康家是一團亂。秉謙夫婦顧不得招待楚家夫婦，就忙著給夏磊診治療傷。夢凡一見到夏磊那份狼狽的樣子，就哭了起來：

『你看你把自己弄成這樣！又流血，又髒，又撕破了衣服……你害我們滿山遍野找了一整天……你好壞啊！為什麼要回東北嘛！那個東北，不是又有強盜，又有狼，又有老虎嗎？你為什麼一定要回去？我爹不是已經做了你的乾爹嗎？我娘不是已經做了你的乾娘嗎？為什麼我們家會趕不上你的東北呢？……』

小夢凡哭哭說說，又生氣又悲痛，那表情，那眼淚，對年幼的夏磊來說，都是嶄新的，陌生的，卻令人胸懷悸動的。夢凡，小夢凡，就這樣點點滴滴的進駐於夏磊的心。只是，當年，他並不明瞭這對他以後的歲月，有什麼影響。

天白、天藍圍在床邊，看康勤給夏磊包紮傷口，秉謙夫婦、千里夫婦、心眉、胡嬤嬤、銀妞、翠妞……全擠在夏磊那小小的臥房裡。夏磊十分震動，原來自己的出走和受傷會引起這麼大的波瀾，顯然，自己在康家並非等閒之輩！他睜大眼睛，注視著滿屋子焦灼的臉，聽著一句句責難而又憐惜的聲音，心裡越來越熱騰騰的充斥著感情了。然後，最令他震動的一件事發生了。夢華忽然鑽進人縫中，直衝到他床邊來，在他手中，塞了一個竹筒子：

『喏！這個給你！』夢華大聲說。

夏磊驚愕的看看竹筒，詫異極了。

『這是什麼？』

『蛐蛐罐呀！』夢華熱心的說：『你要去抓了蛐來，好好訓練！你瞧，天白天藍來了，咱們在一起，最愛玩鬥蛐蛐了，你沒有蛐蛐怎麼辦？罐子我送你，蛐蛐要你自己去抓！』

『蛐蛐？』夏磊瞪著眼：『蛐蛐是什麼？』

『天啊！』夢華嘆氣：『你連蛐蛐是什麼都不知道？蛐蛐就是蟋蟀啊！』

『怎麼?』天白實在按捺不住好奇，問夏磊：『你那個東北，沒有蛐蛐嗎?』

『那……』小天藍急急插嘴：『東北有東西吃嗎?有樹嗎?有月亮嗎?……』

夏磊實在忍不住了，見天藍一股天眞樣兒，他嗤的一聲笑了。他這一笑不打緊，夢凡、夢華、天白、天藍全笑了。五個孩子一旦笑開了，就不知道為什麼這麼好笑，居然笑來笑去笑不停了。

『這下好了!』康秉謙看著笑成一堆的孩子：『我可以放心了。他們五個，會一起長大，情同手足的!』

是的，這五個孩子，就這樣成了朋友。夢華的敵意既除，對夏磊也就認同了。夏磊的童年，從來康家之後，就不是一個人的，而是五個人的。當秉謙為牧雲在祠堂裡設了牌位，都是五個孩子一起去磕頭的。夏磊給他的親爹磕頭，其他四個孩子給『夏叔叔』磕頭。其他四個，雖沒有夏磊那樣強烈的追思之情，卻也都是鄭重而虔誠的。

接下來，五個孩子在一起比賽陀螺、鬥蛐蛐、騎追風……。夏磊成了陀螺的高手，誰也打不過他。鬥蟋蟀也是，因為夏磊總有本事找到貌不驚人，卻強悍無比的蟋蟀。至於騎追風，更是理所當然，沒有人能趕上夏磊。一個能力強的孩子，往往會成為其他孩子的領導，夏磊就這樣成為『五小』的中心人物。那一陣子，大家跟著夏磊去樺樹林、去曠野、去河邊、去望夫崖下捉鬼……

夏磊的冷漠與孤傲，都逐漸消失。只有，只有在大人們悄悄私語的時候：

『女孩子一天到晚跟著男孩子混，不太好吧？』胡嬤嬤問眉姨娘。『我看老爺太太都不在乎！』

『還小呢，懂什麼！』眉姨娘接口：『反正，天白是咱們家女婿，天藍又是咱們家的媳婦，楚家老爺和太太的意思是……從小就培養培養感情，不要故意弄得拘拘束束的，反而不好！』

女婿、媳婦！又是好新鮮的詞兒，聽不懂。但是，楚家和康家的大人們，是經常把這兩個詞兒掛在嘴上的。

『眉姨，』有一天，他忍不住去問心眉。『什麼是媳婦兒？什麼是女婿？』

『哦！』心眉怔了怔，就醒悟過來：『你不瞭解康家和楚家的關係是不是？咱們叫做「親家」！這就是說，天白和夢凡是訂了親的，天藍和夢華也是！』

『訂了親要做什麼？』他仰著頭問。

『傻小子！』心眉笑了。『訂了親是要做夫妻的！』

『所以，』胡嬤嬤趕快機會教育：『你和夢凡小姐、天藍小姐都不能太熱呼，要疏遠點兒才好！』

為什麼呢？夏磊頗為迷惑。但是，他很快就把這問題置之腦後，本來，和女孩子玩絕對趕不上和男孩子玩有趣。那時候，他和天白賽馬賽陀螺賽蟋蟀賽得眞過癮，兩人年齡相近旗鼓相當，友誼一天比一天深切。有時，夏磊會坐在孩子們中間，談他在東北爬山採藥打獵的生活，聽得衆小孩津津有味。這樣，有天，夏磊談起康秉謙和父親結識的經過，談到兩人在雪地中義結金蘭，天白不禁心嚮往之。帶著無限景仰的神情，他對夏磊說：

『我們兩個，也結拜爲兄弟如何？』

這件事好玩，其他三個孩子鼓掌附議。於是，夏磊把當日結拜的詞寫下來，孩子們在曠野中擺上香案，供上素果，燃上香。夏磊和天白，各持一束香，嚴肅而虔誠的並肩而立，夢華、天藍、夢凡拿著台詞旁觀。

『我——夏磊！』

『我——楚天白！』

『皇天在上！』

『后土在下！』

『夢華夢凡爲證！』

『小天藍也作證！』

『在此拜爲兄弟！』

『義結金蘭！』

『從此肝膽相照，忠烈對待！』

『至死不渝，永生無悔！』

兩人背誦完畢，拜天拜地，將香束插進香爐，兩人再拜倒於地，恭敬的對天地磕頭。

拜完了，兩人站起身。天藍、夢凡、夢華一起鼓掌，都圍了過來。天白趕緊問夢凡：

『我剛剛都背對了沒有？』

『都對了，一個字不差！』夢凡點著頭。

夏磊對天白伸出手去，鄭重的說：

『從今以後，你就是我的兄弟了！』

天白緊緊握住夏磊的手，一臉的感動。其他三個孩子，都震懾在這種虔誠的情緒之下，一時之間，誰都說不出話來。愛哭的小夢凡，眼裡居然又閃出了淚光。

這一拜，就是一輩子的事。夏磊深深的凝視天白，全心震動。他不再孤獨，他有兄弟了。

10 望夫崖上

從此，天白是夏磊的兄弟，他們共同分享童年的種種。但是，望夫崖上面那塊窄窄險險的小天地，卻是夏磊和夢凡兩人的。

那一天，天白和天藍跟著父母回家了。夏磊獨自一人，騎著追風來到望夫崖下面。很難得，身邊沒有跟著礙事的人，夏磊就開始仔細研究登崖的方法。這樣一研究就有了大發現，原來在那荆棘藤蔓和野草覆蓋下，根本有一個又一個的小凹洞，一直延伸到崖頂。顯然以前早就有人攀登過，而且留下了梯階。夏磊這下子太快樂了，他找來一塊尖銳的石片，就把那小凹洞的雜草污泥一起挖掉，自己也一級一級，手腳並用的攀上了望夫崖的頂端。

終於爬上了望夫崖！

夏磊迎風而立，四面張望，樺樹林、曠野、短松崗、和那綿延不斷的山丘，都在眼底。放眼看去，地看不到邊，天也看不到邊。抬起頭來，雲似乎伸手就可以採到，他太高興了，高興得放聲大叫了：

『喲嗬！喲嗬！喲——嗬……』

他的聲音，綿延不斷的傳了出去，似乎一直擴散到天的盡頭。

他叫夠了，這才回身研究腳下的山崖。那巨崖上，果然有另一塊凸起的石頭，高聳入雲。是不是一個女人變的，就不敢肯定了。那石頭太大了，似乎沒有這麼巨大的女人。或者，在幾千幾萬年前，人類比現在高大吧！石崖上光禿禿的，其實並沒有什麼『險』可『探』。有個小石洞，夏磊用樹枝戳了戳，『啾』的一聲，一條四脚蛇竄出來，飛快的跑走了。

他背倚著那『女人』，在崖上坐了下來，抬頭四望，心曠神怡。於是，他取下腰際的笛子，開始吹起笛子來。

吹著吹著，也不知道吹了多久。他忽然聽到夢凡的聲音，從山崖的半腰傳了上來：

『磊哥哥，我也上來了！』

什麼？他嚇了好大一跳，冷汗直冒，慌忙仆到崖邊一看，果然，夢凡踩著那小凹洞，正危危險險的往上爬。夏磊嚇得大氣都不敢出，生怕一出聲，讓夢凡分了心跌下去。他提心吊膽，看著夢凡一步步爬上來。

終於，夢凡上了最後一級，夏磊慌忙伸出手去。

『拉住我的手，小心！』

夢凡握住了夏磊的手，夏磊一用力，夢凡上了崖頂。

『哇！』夢凡喜悅的大叫了起來：『我們上來了！我們上了望夫崖！哇！好偉大！哇！好高興啊！』她叫完了，忽然害怕起來。笑容一收，四面看看，伸手去扯夏磊的衣袖，聲音變得小小的，細細的：『這上面有什麼東西？你有沒有看到什麼東西？』

『有蛇，有四隻腳的蛇！』

『四隻腳的蛇呀！』夢凡縮著脖子，不勝畏怯：『有多長，有多大？會不會咬人？在哪裡？在哪裡？』

『別怕別怕！』他很英勇的護住她。『妳貼著這塊大石頭站，別站在崖石邊上！那四脚蛇啊，只有這麼一點點長，』他做了個蛇爬行狀的手勢：『咻……好快，就這麼跑走了！現在已經不見了！』

『那麼，鬼呢？有沒有看到鬼？』

『沒見著。』

『如果鬼來了怎麼辦呢？』

『那……』夏磊想想，舉起手中笛子：『我就吹笛子給他聽！』

夢凡抬頭看夏磊，滿眼睛都是崇拜。

『你一點都不怕呀？』她問。

『怕什麼，望夫崖都能征服，就沒什麼不能征服的！』

『什麼是「征服」？』夢凡困惑的問。

『那是我爹常用的詞兒。我們在東北的時候，常常要「征服」，征服風雪，征服野獸，征服饑餓，征服山峰，反正，越困難的事，越做不到的事，就要去「征服」！』

小夢凡更加糊塗了。

『可是，到底什麼東西是「征服」？』她硬是要問個清楚明白。

『這個……這個……』夏磊抓頭髮抓耳朵，又抓脖子。『征服就是……就是……就是勝利！就是快樂！』他總算想出差不多的意思，就得意的大聲說出來。

『哇！原來征服就是勝利和快樂啊！』夢凡更加崇拜的看著夏磊。然後，就對著崖下那綿邈無盡的大地，振臂高呼起來：『望夫崖萬歲！征服萬歲！夏磊萬歲！勝利萬歲！』

夏磊再用手抓抓後腦勺，覺得這句『夏磊萬歲』實在中聽極了，受用極了。而且，小夢凡笑得那麼燦爛，這笑容也實在是好看極了。在他那年幼的心靈裡，初次體會出人類本能的『虛榮』。

夢凡歡呼既畢，問題又來了：

『那個女人呢？你有沒有看到那個女人？』

『什麼女人？』

『變石頭的那個女人？』

『這就是了！』夏磊拍拍身後的巨石。

夢凡仰高了頭，往上看，低下身子，再往上看，越看越是震懾無已。

『她變成這麼大的一塊石頭了！』她站直身子，不勝惻然，眼神鄭重而嚴肅。『她一定望了好多好多年，越長越高，越長越高，才會長得這麼高大的！』她注視夏磊：『如果你去了東北，說不定我也會變成石頭！』

夏磊心頭一凜。十歲和八歲，實在什麼都不懂。言者無心，應該聽者無意。但是，夏磊就感到那樣一陣涼意，竟有所預感的呆住了。

童年，就這樣：在樺樹林，在曠野，在小河畔，在短松崗，在望夫崖，在康家那深宅大院裡……一年又一年的過去了。

轉眼間，當年的五個孩子，都已長大。

11 『五四』

民國八年，五月四日。

這年的夏磊，正在北大讀植物系三年級。夢華和天白，讀的全是文學系。當時的北大還不收女學生。但，夢凡和天藍，那樣吵著鬧著，那樣羨慕新式學堂，康楚兩家實在拗不過兩個女兒，就送到北大附近的女子師範去。於是，五個孩子，早上結伴上課，下午結伴回家，青春的生命裡，充滿了活力，充滿了自信和理想。當然，三男兩女的搭配，總是兩對多一，這多出的一個，往往是問題的製造者，煩惱和痛苦的發源地。夏磊，似乎從小就有領導慾和桀驁不馴的特質，在這青春時期，他的特質表現得更加強烈。

這時的康秉謙，早就離開了仕途，隨著新政府成立，康秉謙努力想適應新的潮流，也由於看清楚時代的變遷，他才會讓兒女都去接受新式教育。但是，根深柢固的，在他內心深處，他仍然是個中國傳統的讀書人，仍然堅守著許多牢不可破的觀念。滿清王朝結束以後，他棄政務農，好在康家擁有廣大的田產和果園。另外，在北京的南池子，開了一家『康記藥材行』。這藥材行由康勤管理，成爲夏磊沒課時最喜歡逗留的所在。那些川芎、白芷、參鬚、麝香、甘草、陳皮、當歸……都是他熟悉的東西。那種藥行裡特有的香味，總是讓他回憶起東北的小木屋，童年的他，曾徹夜爲父親熬著藥，藥香永遠彌漫在小屋裏和附近的樹林裡。

這一天，是民國八年的五月四日。在中國的歷史上，這一天佔著極爲重要的位置。事情的起因，是巴黎和會對山東問題作的決定——把膠州灣移交給日本，成了導火線，引起各大學如火如荼的反應。學生們氣瘋了，愛國的浪潮洶湧翻騰的捲向各個校園，北大是首當其衝。而夏磊，正是這些激昂慷慨、悲憤塡膺的學生中，最激烈的一個。

『同學們！讓我們站起來吧！救救中國！救救我們的領土！』夏磊站在學校門口的一個臨時高台上，振臂高呼著。台下，聚集著數以千計的學生，附近的師範學校也來了，夢凡和天藍都雜在人群裡。『山東大勢一去，我們就連領土的自主權都沒有了！失去領土，還有國家嗎？我最親、最愛、最有血性的同胞們啊！這是我們的土地，這是我們的大好江山，我們怎麼能眼睜睜讓日本搶去！讓列強不斷的、不斷的凌辱我們！奴隸我們……』

台下的學生全瘋狂了，他們吼著叫著，群情激憤。

『讓我們去趙家樓，讓我們去段祺瑞的總統府！讓我們去喚醒那些醉生夢死的賣國賊！』夏磊更大聲的叫著，熱淚盈眶。舉起手臂，他大吼了一句：『中國的土地可以征服不可以斷送！』

『中國的土地可以征服不可以斷送！』台下如雷響應，聲震四野，人人都高舉著手臂。

『中國的人民可以殺戮不可以低頭！』夏磊再喊。

『中國的人民可以殺戮不可以低頭！』學生們狂喊著，許多人都哭了。

夏磊太激動了，一個衝動之下，脫掉外面的學生制服，把裡面的白襯衣當胸撕下來，咬破手指，用血寫下四個大字『還我青島』，他舉起血跡斑斑的白布條，含著淚高呼著：

『國亡了！同胞們起來呀！』

學生們更加群情激昂，有的哭了，有的痛喊，有的捶胸，有的頓足，更多更多人齊聲大吼：

『還我青島！還我青島!!還我青島!!!』

夏磊跳下了高台，高舉着白布條，向當時曹汝霖所居住的『趙家樓』衝去。學生們全跟着夏磊走，一路上，大家不斷豎起新的標語，不斷喊著口號。這支隊伍竟越來越壯大，到了趙家樓門口，已經萬頭鑽動。學生們憤慨的情緒，已經到達無法控制的地步。各種口號，此起彼伏：

『內除國賊！外抗強權！』

『頭可斷！青島不可失！』

『甯做自由鬼，不做活奴隸！』

『打倒賣國賊！嚴懲賣國賊！』

大家吼著、叫著！越來越激動，越來越憤怒，學生的激情已到達沸點。開始高叫曹汝霖、章宗祥、段祺瑞的名字，要他們出來，向國人謝罪。這樣一吼一叫一鬧，震驚了整個北京市，警察趕來了，槍械也拿出來了，開始拘捕肇事份子。警察的哨子狂鳴之下，學生更加怒不可遏。一時間，有的向樓裡擲石塊，有的砸玻璃，有的跳窗子，有的撞門，有的燒標語……簡直亂成了一團。大批警察蜂擁而至，用槍托和短棍揍打學生，許多學生負傷了，許多被捕了，最後，趙家樓著了火，消防車救火隊呼嘯而至。學生終於被驅散了，主要帶頭的學生全數被捕——夏磊、夢華、天白三個人都在內。

那天的康家簡直翻了天。楚家夫婦也趕來了。詠晴一聽到夢華被捕，就昏了過去。醒來後就哭天哭地，哭她唯一的兒子夢華。楚千里氣沖沖的對康秉謙說：

『都是那個夏磊！我全弄明白了！就是夏磊帶的頭！秉謙，你收義子沒關係，你要管教他呀！』

『夏磊？』康秉謙大吃一驚：『又是他惹的禍嗎？』

夢凡急了，挺身而出。

『爹、娘，楚伯伯、楚伯母，你們不能怪夏磊呀！如果你們見到當時的情形，你們也會被感動的！夏磊，他是一腔熱血，滿懷熱情，才會這麼做的！大家都爲了愛國呀！』

『愛國？』康秉謙吼了起來。『在街上搖旗吶喊就算愛國嗎？放火燒房子就算愛國嗎？他就是愛出風頭愛搗蛋！現在連累了天白和夢華，怎生是好？被抓到監獄裡去，他還能愛國嗎？』

『我就知道，我就知道！』詠晴哭著：『這個夏磊只會帶給我們災難！他根本是個禍害！』

『娘！』夢凡悲憤的喊。

『是呀！是呀！』楚夫人也哭得上氣不接下氣：『我們天白那麼單純善良的一個孩子，如果不是跟著夏磊，怎麼會去搞什麼暴動？』

『娘！』天藍一跺腳，生氣的說：『你們不去怪曹汝霖章宗祥，卻一個勁兒罵夏磊，你們實在太奇怪了！』

『妳閉嘴！』楚千里對女兒大吼：『已經闖下滔天大禍了，妳還在這兒強辭奪理！唸書唸書，唸出你們這些無法無天的小怪物來！』

『楚伯伯，』夢凡忍無可忍的接口：『今天街上的小怪物，起碼有三千個以上呢！』

『夢凡！』康秉謙怒吼著：『妳還敢和楚伯伯頂嘴！我看你們不但無法無天，而且目無尊長！』

夢凡眼看這等情勢，心裡又急又氣，知道父母除了怨恨夏磊之外，實在拿不出什麼營救的辦法，她一拉天藍，往屋外就跑：

『天藍，我們走！』

詠晴死命拉住夢凡。

『妳要去那裡？街上正亂著，妳們兩個女孩子，還不給我在家裡待著，再出一點事情，我就不要活了！』

『娘！』夢凡急急的說：『我是想到學校去看看！這次被捕的全是學生，學校不會坐視不救的！雖然你們都不贊同學生，但是，大家眞的是熱血沸騰，情不自已！我相信，北大、燕京和幾個主要的學校，校長和訓導主任都會出來營救！爹、娘，你們不要急，我敢說，輿論會支持我們的！我敢說，所有學生都會被釋放的！我也敢說，夢華、天白，和夏磊，很快就會回家的！』

夢凡的話沒說錯，三天後，夢華、天白、夏磊都被釋放了。而五四運動，也演變成爲一個全民運動。天津、上海、南京、武漢都紛紛響應，最後竟擴大到海外，連華僑都出動了。

對康秉謙來說，全民運動裏的『民』與他是無關的。夏磊的桀驁不馴，好勇善鬥，才是他眞正擔心的。雖然孩子們已經平安歸來，他仍然忍不住大罵夏磊：

『你不管自己的安危，你也不管夢華和天白的安危嗎？送你去學校唸書，你唸書就好了！怎麼要去和政府對立？你想革命還是想造反呢……』

『乾爹！』夏磊太震驚了，康秉謙也是書香世家，怎麼對割地求榮這種事都無動於衷？怪不得滿淸快把中國給賠光了。『我是不得已呀！我們現在這個政府，實在有夠糟的！總該有人站出來說說話呀！』

『你只是說說話嗎？你又演講又遊行，搖旗吶喊，煽動群衆！你的行爲簡直像土匪流氓！我告訴你，不論你有多高的理論，你就是不能用這種方式表達！我看不順眼！』

『乾爹，』夏磊極力壓抑著自己。『現在這個時代，已經不是滿淸了，許多事情，都太不合理，極需改革。不管您順眼還是不順眼，該發生的事還是會發生的！即使是這個家……』他噤住了。

『這個家怎樣？』康秉謙更怒了。

『這個家也有許多的不合理！』他衝口而出。

『嗬！』康秉謙瞪著夏磊：『你倒說說看，咱們家有什麼不合理的地方？什麼讓你不滿意的地方？』

『例如說父母之命，媒妁之言！』

夢凡一個震動，手裡的茶杯差點落地。

『例如說娶姨太太，買丫頭！』

心眉迅速的抬頭，研判的看著夏磊。銀妞翠妞皆驚愕。

『好了好了！』詠晴攔了過來。『你就說到此爲止吧！總算大家平安歸來了，也就算了。咱們家的女人，都很滿足了，用不著你來爲我們爭權利的！』

『乾娘，妳的地位已經很高了，當然不必爭什麼了，』夏磊說急了，已一發而不可止。『可是，像銀妞、翠妞呢？』

銀妞翠妞都嚇了一跳，銀妞慌忙接口：

『我們不勞夏磊少爺操心，我們很知足的……』

『是呀是呀！』翠妞跟著說：『老爺太太對我們這麼好，我們還爭什麼！』

『可是，』夏磊更急：『像胡嬤嬤呢？』

『磊少爺！』胡嬤嬤驚呼著：『你別害我喲！我從來都沒抱怨過什麼呀！』

夏磊洩氣極了，看看這一屋子的女人，覺得一個比一個差勁。他瞪向心眉：

『還有眉姨呢？難道妳們眞的這麼認命？眞的對自己的人生已經沒有要求？眞覺得自己有尊嚴、有自由、有地位、有快樂……』

康秉謙一甩袖子站了起來：

『夠了！夠了！你這不知天高地厚的小子，你才燒了趙家樓，現在又想要燒康家樓了！』

夢華笑出聲，夢凡也跟著笑了。

詠晴、心眉、銀妞、翠妞……大家的心情一放鬆，就都露出了笑容。

秉謙不想再擴大事端，就也隨著大夥笑。在這種情形下，夏磊即使還有一肚子話，也都憋回去了，看著大家都笑，他也不能不跟著笑了。

一場風波，就到此平息。但是，對夏磊而言，這『五四』就像一簇小小的火苗，在他心胸中燃燒起來。使他對這個社會、對人生、對自己，以至於對感情的看法、對生活的目標……全都『懷疑』了起來，這『懷疑』從小火苗一直擴大、擴大。終於像一盆烈火般，燒灼得他全心靈都疼痛起來。

12 胡嬤嬤

第一個對夏磊提出『身分』問題的，是胡嬤嬤。

胡嬤嬤照顧夏磊已經十二年了，這十二年，因爲胡嬤嬤自己無兒無女，因爲夏磊無父無母。再加上夏磊從不擺少爺架子，和她有說有笑有商有量，十分親近。胡嬤嬤的一顆心，就全向著夏磊了。下意識裡，她是把他當自己親生兒子般疼著，又當成『主人』般崇敬著。

許多事，胡嬤嬤看在眼裡，急在心裡。女性的直覺，讓她體會出許多問題；夏磊越來越放肆了，夢凡越來越愛往夏磊房裡闖了。什麼五四、演講、寫血書，夏磊成了英雄了。什麼男女平等、自由戀愛、推翻不合理的制度……夢凡常常把這些理論拿出來和夏磊討論……似乎討論得太多了，夢凡對夏磊的崇拜，似乎也有點過了火。

『磊少爺！』這天晚上，她忍無可忍的開了口：『你可不可以不要再頂撞老爺呢？也不要帶著夢華和夢凡去搞什麼運動呢？你要記住自己的「身分」啊！』

夏磊怔了怔。

『我的「身分」怎麼了？』

『唉！』胡嬤嬤嘆口長氣，關懷而誠摯的。『你要知道，無論如何，這親生的，和抱養的，畢竟有差別！老爺太太都是最忠厚的人，才會把你視如己出，你自己，不能不懂得感恩啊！親生的孩子如果犯了錯，父母總會原諒的，如果是你犯了錯，大家可會一輩子記在心底的！』

夏磊感到內心被什麼重重的東西撞擊了一下，心裏就湧起一種異樣的情緒，是自尊的傷害，也是自卑的醒覺。他看了看胡嬤嬤，頓時瞭解到中國人的成語中，爲什麼有『苦口婆心』四個字。

『我犯了什麼錯呢？』

『你犯的錯還不夠多呀！害得夢華少爺和天白少爺去坐牢！咱們老爺太太氣成怎樣，你也不是沒見着！這過去的事也就算了，以後，你不能再犯錯了！』

夏磊不語，默默沈思著。

『你只要時時刻刻記住自己的「身分」，很多事就不會做錯了！例如……』胡嬤嬤一面鋪著床，一面衝口而出。『你和天白，是拜把的兄弟！』

『又怎樣了？』他抬起頭來：『我什麼地方，對不起天白了！』

『夢凡，是天白的「媳婦」喲！』

胡嬤嬤把床單扯平，轉身就走出了房間。

夏磊的心臟，又被重重撞擊了。

13 心眉

第二個提醒他『身分』問題的人，是心眉。

心眉是秉謙的姨太太，娶進門已經十五年了。是個眼睛大大的，眉毛長長的，臉龐兒圓圓的女人，十五年前，是個美人胎子，可惜父母雙亡，跟著兄嫂過日子，就被嫁到康家來做小。現在，心眉的兄嫂已經返回老家山東，她在北京，除了康家以外，就無親無故了。

心眉是個很單純，也很認命的女人。她生命裡最大的傷痛，是她失去過一個兒子。那年，夏磊到康家已三年了，他始終記得，心眉對那個襁褓中的兒子，簡直愛之入骨。康秉謙給孩子按排行，取名夢恒。夢恒並不『恒』，只活了七個月，就生病夭折了。那晚，康家整棟大宅子裡，都響著心眉淒厲至極的哀號聲：

『夢恒！你既然要走，爲什麼來到人間戲弄我這趟？你去了，你就把我一起帶走吧！我再也不要活了！不要活了！』

可是，心眉仍然活了過來，而且，熬過了這麼多歲月。她也曾期望再有個孩子，卻從此沒有消息。青春漸老，心眉的笑容越來越少。眼裡總是凝聚著幽怨，唇邊總是掛著幾絲迷惘，當初圓圓的臉變瘦了。但，她仍然是很美麗的，有種淒涼的美，無助的美。

如果沒有五四，心眉永遠會沈睡在她那個封閉的世界裡。但，夏磊把什麼新的東西帶來了，夏磊直問到她臉上那句：『還有眉姨呢？難道妳們眞的這麼認命？眞的對自己的人生已沒有要求？眞覺得自己有尊嚴、有地位、有自由、有快樂……』震撼了她，使她在長夜無眠的晚上，深思不已。

這天下午，她在迴廊中攔住了夏磊。

『小磊，你那天說的什麼自由、快樂，我都不懂！你認爲，像我這種姨太太，也能爭取尊嚴嗎？』

『當然！』夏磊太吃驚了，中國這古老的社會，居然把一個女人的基本人權意識都給剝奪了！

『不論妳是什麼身分，妳都有尊嚴呀！人，是生而平等的！每個人都有追求自由快樂的權利！』

『怪不得……』心眉瞪著他吶吶的說了三個字，就噤住了，只是一個勁兒的打量他。

『怪不得什麼？』他困惑的問。

『怪不得……你雖然是抱進來的孩子，你也能像夢華一樣，活得理直氣壯的！』

夏磊心中，又被什麼東西狠狠一撞，驀的醒悟，所謂『義子』『養子』，在這個古老的康宅大院裡，就和『姨太太』一樣，是沒有身分和地位的！

14 康勤

第三個提醒他身分的人，是康勤。

那晚，他到康記藥材行去幫忙。康勤正在切鹿茸，他就幫他整理剛從東北運來的人參。坐在那方桌前面，他情緒低落。

『怎麼了？』康勤注視著他。『和誰鬥嘴了？夢華少爺還是夢凡小姐呢？』

他默然不語。

『我知道了！』康勤猜測著：『老爺又說了你什麼了！』康勤嘆口氣：『磊少爺，聽我一句勸吧！俗語說得好，「人在屋簷下，不得不低頭」呀！康家上上下下，對你已經夠好了，有些事，你就忍著吧！』

夏磊驚怔的看康勤，情不自已的咀嚼起，『人在屋簷下，不得不低頭』的句子。

『不知道是我不對了，還是大家不對了！』他沮喪的說：『最近，每個人都在提醒我……小時候的歡樂已經沒有了！人長大了，眞不好，眞不好！』

『要想開一些，活著，就這麼回事呀！』

又一個認命的人！夏磊一抬頭，就緊緊的盯著康勤：

『康勤，我想問你……你爲什麼在康家做事呢？你儀表不凡，知書達理，又熟悉醫學，又懂藥材，又充滿了書卷味……像你這樣一個人，根本就是個「人才」，爲什麼肯久居人下呢？』

康勤吃了一驚，被夏磊的稱讚弄得有點兒飄飄然，對自己的身世，難免就感懷自傷了：

『磊少爺，你有所不知，我姓了康家的姓，一家三代，都是吃康家的飯長大的！你不要把我說得那麼好，我不過是個奴才而已。老爺待我不薄，從小，私塾老師上課時，允許我當「伴讀」，這樣，也學會了讀書寫字，比康福康忠都更得老爺歡心。又把太太身邊的金妞 給我當老婆，可惜金妞福薄，沒幾年就死了……老爺每次出差，也都帶著我，現在又讓我來康記藥材行當掌櫃……我眞的，眞的，沒什麼可埋怨了！』

『可是，康勤，』他認真的問：『你活得很知足嗎？除了金妞之外，你的人生裡，就沒有「遺憾」了嗎？』

康勤自省，有些狼狽和落寞了。

『很多問題是不敢去想的！』

『你想過沒有呢？』

『當然……想過。』

『怎樣呢？你的結論是什麼呢？』

『怎麼談得上結論？有些感覺，在腦海裡閃過，就這麼一閃，就會覺得痛，不敢去碰它，也不敢去追它，就讓它這麼過去了！』

『什麼「感覺」呢？那一種「感覺」呢？』

康勤無法逃避了，他正眼看著夏磊。

『像是「寂寞」的感覺，「失去自我」的感覺，不曾「好好活過」的感覺……還有，好像自己被困住……』

『想「破繭而出」的感覺！』夏磊接口。

『是吧！』康勤震動的說：『就是這樣吧！』

夏磊和康勤深深互視著，有種瞭解與友誼在二人之中流動。如水般漾開。

『康勤！』夏磊怔怔的問：『你今年幾歲了？』

『四十二歲！』

『你是我的鏡子啊！』夏磊脫口驚呼了。『如果我「安於現狀」，不去爭取什麼，四十二歲的我，會坐在「康記藥材行」裡，追悼著失去的青春！』

他站起身來，蹌踉的衝到門口，掀起門帘，一腳高一腳低的離去了。

15 掙扎

夏磊有很多天都鬱鬱寡歡。五四帶來的衝激，和自我身分的懷疑，變成十分矛盾的一種糾結。他覺得自己被層層包裹住，不能呼吸了，不能生活了。康家，逐漸變成了一張大網，把他拘束著，綑綁著，甚至是吞噬著。他不知道該怎樣活著，怎樣生存，怎樣才能『破繭而出』？

在康家，他突然成了一個『工作狂』。

他劈柴，他修馬車，他爬在屋頂修屋瓦，他買磚頭，補圍牆，把一重又一重年老失修的門，拆卸下來，再重新裝上去……忙得簡直暈頭轉向。夢凡屋前屋後，院裡院外追著他，總是沒辦法和他說上三句半話。忽然之間，那個在校園裡振臂高呼，神采飛揚的大學生，就變成康家的一個奴隸了。

這天，夢凡終於在馬廄找著了夏磊。

夏磊正在用刷子刷著追風。如今的追風，已長成一匹壯碩的大馬了。夏磊用力的刷著馬，刷得無比的專心。

『這康福康忠到那裡去了？』夢凡突然問。

『他們去幹別的活兒了！』夏磊頭也不抬的說。

『別的活兒？』夢凡抬高了聲音：『這康家裡裡外外，上上下下，所有的粗活兒，你不是一個人包攬了嗎？昨天爬在屋頂上修屋頂，前天忙著通陰溝，再前些天，修大門中門偏門側門……你還有活兒留下來給康福康忠做嗎？』

夏磊不說話，埋著頭刷馬，刷得那麼用力，汗珠從額上一滴一滴的滾落下來。

夢凡看著那汗珠滴落，不忍已極。從懷裡掏出了小手絹，她往前一跨步，抬著手就去給夏磊拭汗。

夏磊像觸電般往後一退。

『別碰我！』他粗聲的說。

夢凡怔住了，張口結舌的看著夏磊，握著手絹的手停在空中，又乏力的垂了下去。她後退了一步，臉上浮起深受傷害的表情。

『你到底是怎麼了？』她憋著氣問：『是誰得罪了你？是誰氣著了你？你爲什麼要這樣不停的做苦工？』

『別管我！』他更粗聲的。

『我怎麼可以不管你！』夢凡腳一跺，眼睛就漲紅了。『自從你十歲來我家，你做什麼我就跟著你做什麼！你騎馬我也騎馬，你發瘋我也發瘋，你爬崖我也爬崖，你遊行我也遊行，你唸書我也唸書……現在，你叫我不要管你！我怎麼可能不管你嘛！』

夏磊丟下馬刷，抬起頭來，緊緊盯著夢凡。

『從今以後，不要再跟著我！』他啞聲說，眼睛睜得大大的。『難道妳看不出來，我身上有細菌？我是災難，是瘟疫，是傳染病！妳，請離我遠遠的！』

『什麼瘟疫傳染病？』夢凡驚愕的。『誰對你說這些混帳話？誰敢這樣做？誰說的？』她怒不可遏。

他瞪視著她那因發怒而漲紅的臉，瞪視著那閃亮如星的眸子，瞪視著她那令人眩惑的美麗……

他的心臟緊緊一抽；哦，夢凡！請妳遠遠離開我，妳是我心中百轉千迴的思念，妳是我生命裡最巨大的痛楚……他縱身躍上了馬背，像逃一般的疾馳而去。

16 天白

這天，在校園中，天白急急的找著了夏磊。

『夏磊，你知不知道夢凡最近是怎麼了？』

夏磊一怔，困惑的抬眼看天白。隨著年齡的長大，天白童年時就有的開朗和書卷味，現在更加濃厚了。他長得和夏磊差不多高，看起來卻斯文許多，他是個徇徇儒雅而又不失瀟灑氣概的年輕人。在個性上，他是幾個孩子中最踏實的一個，沒有夏磊的好高騖遠，桀驁不馴，也沒有夢華的驕貴氣息。他平易近人，坦率熱情。

『怎麼了？』夏磊悶悶的問。

『她太奇怪了！最近總是躲著我，好像很怕我似的！怎麼會這樣呢？我完全弄不懂！』

夏磊的眼光落到遠處的柳樹上去了。

『或者，因爲她是你的「未婚妻」吧！年紀大了，不是小孩兒了，就會……有些避諱吧！』

『避諱！你說夢凡嗎？』天白抬高了聲音：『你又不是不瞭解夢凡，她從小就心胸開闊，落落大方！她才不會扭扭捏捏，去在乎那些老掉牙的禁忌！』

『哦！』夏磊胸中，好像塞進了一塊大石頭。『你這麼瞭解她，心裡有什麼話，何不對她直說呢？』

『我是要直說呀！但她不要聽呀！我每次一開口，她就躲！前一向忙著五四的事，大家也沒時間，現在閒下來，她就突然像變了一個人似的！』

『你忙什麼，不是有一輩子的時間可以跟她慢慢說嗎？』夏磊的聲音直直的，不疾不徐的。

『唉！』天白大大嘆口氣。『現在是什麼年代了，如果我還迂腐的守著那個父母之命，我是肯定會失去夢凡的！夏磊，』他激動的抓住夏磊，熱烈的說：『我跟你說吧，反正你是我兄弟，我也不怕你會笑話我！這些日子來，我們反這個反那個，好像舊社會的制度裡沒有一件事合理！偏偏我和夢凡的婚約，是從小訂下的……我覺得，夢凡在心底，根本是瞧不起這個婚約的！如果她心甘情願要履行這婚約，絕對不是爲了父母之命，而是爲了我這個人！』

夏磊的眼光，落回到天白臉上來了。

『說實話，』天白繼續說，眼睛裡閃著光彩。『小時候，知道她是我的「媳婦」，並沒有什麼太多的感覺。可是，現在啊，隨著時間一年一年的長大，我對夢凡，簡直是一往情深，夢寐以求了！』

夏磊震動的盯著天白。

『夏磊，你會笑我嗎？你會笑我沒出息嗎？我就是這樣的，簡直不可救藥啊！我每天都瘋狂的盼望見到她，好不容易見到了，她總是一副若即若離的樣子，弄得我魂不守舍！怎麼辦？夏磊，會不會發生了什麼事？會不會她故意在疏遠我？我現在束手無策，我想，只有你才能幫我！』

夏磊更震動的看著天白。

『何以見得我能幫你呢？』

『你一定幫得了！』天白熱烈而崇拜的說：『從小，你就是我們五個小鬼的領袖呀！長大了，你更是我們名副其實的大哥，我們幾個人，沒有一個人在你面前有秘密！夢凡也是這樣！』

夏磊深深撼動了。眼睛凝視著遠方，他默默的出著神。

『你幫我問問她去！勸她不要這樣對我吧！弄得我這樣疑神疑鬼，患得患失，實在好殘忍！』他深深的看夏磊，眼底是一片單純的信任：『誰讓你跟我拜了把子呢！肝膽相照，忠烈對待，就是天白有難，夏磊救之！』

他說著，重重的一掌拍在夏磊肩上。

夏磊凝視著遠方，心裡，是一團矛盾糾結的痛楚。

這晚，他衝進了夢凡房裡，像倒水一樣，一陣唏哩嘩啦，沒有停頓的說：

『夢凡！妳不可以這樣對天白！別說他是妳的未婚夫，就算是朋友，妳也該對他推心置腹！天白從小和我們一起長大，是怎樣一個熱血青年，妳心裡應該清清楚楚！假若妳想背叛他，對不起他，妳就等於是背叛我，對不起我！我不會允許妳這樣做的！從明天開始，妳就去好好對他，用全心全意對他，像他這樣光明磊落，心地善良，又漂亮，又有氣質的年輕人，妳在這世界上找不到第二個了！乾爹乾娘爲妳訂的親，是一百個對，一千個對！妳不要受五四的影響，連天白都反進去！那妳就是個幼稚無知的女孩子了！那麼，我會輕視妳，看不起妳！妳聽到沒有？我，要，妳，全心全意去愛天白！』

一口氣把要說的話都喊完了，他看也不看夢凡，就轉身衝出了房間，大踏步穿過院落，打開偏門，衝進樺樹林，衝進曠野，衝進小山丘……他像小時候一樣，放聲大叫：

『不要……不要……不要……不要……』

17 望夫崖上

那晚，他徹夜坐在望夫崖上。

月色很好，大地在月光下，染上了一層銀白。遠山遠樹，是幢幢的黑影，近處的曠野，高低起伏，曠野上的矮樹叢，疏落有致。月光把所有的樹梢，都鑲了一條銀色的光暈。萬籟無聲，四野俱寂。

他不知道坐了多久，頭腦裡幾乎是空空的，連思想的能力都沒有。他只是坐著，凝望著遠方。然後，他聽到身後有窸窸窣窣的聲響，他回頭，驀的大吃一驚，夢凡正危危險險的站在崖邊上。

他一唬的站起身來，心臟幾乎跳到了喉嚨口。

『妳！』他啞聲喊：『半夜來爬望夫崖！妳不要命了嗎？萬一摔下去怎麼辦？』

她一動也不動的站著，大大的眼睛，在月色中閃著光，直直的盯視著他。

『摔下去，是我的報應！』她沈聲說。

『什麼意思？』他感到喉嚨裡乾乾的。

『壞女孩會受到報應，半夜三更追隨你到望夫崖，會受到報應，背叛天白，也會受到報應……反正會受報應，粉身碎骨，也就算了！』

他深深抽口氣，心臟像擂鼓似的，『咚咚咚』的狂跳，嘴裡一句話也說不出來。

『夏磊，你眞虛僞！』她定定的看著他，低聲的說：『十二年前，我把我的小奴奴抱去送給你，從那一夜開始，我就成了你的影子，你走到那兒，我跟到那兒，我這樣跟了你十二年，你心裡還不明白？你居然命令我，全心全意去愛天白？』

他瞪著她，眼光再也無法從她臉上移開。

她半晌無語。他們就這樣站著站著，彼此的眼光，牢牢的，緊緊的纏著對方。好久好久以後，她才輕輕開口：

『你要我留，還是要我走？』

他不說話，心中絞痛。

『好吧！』她輕幽幽的說：『我走！』

她一轉身，抬腳就走。她的神志根本不清，這一舉步，眼看就要踩空，她身邊，是萬丈懸崖。夏磊大驚，想也不想，就飛快的撲過來，飛快的抓住她，用力一拉。

夢凡撲進了他的懷裡。

他們緊緊的，緊緊的擁抱在一起了。

『瞧！』片刻，他驚怔的說：『我們做了什麼？瞧，妳這樣誘惑我……』他試著要推開她。

『夏磊啊！不要推開我！』夢凡固執的依偎著他，強烈的說：『當我和你第一次爬望夫崖的時候，我就已經背叛天白了！你輕視我吧！看不起我吧！我就是這樣的，我心裡只有你呀！我就是就是這樣的！』

她把頭緊埋在夏磊的肩窩，淚，一直燙到夏磊的五臟六腑去。夏磊的理智，隨著夜風飄遠飄遠，飄得無跡可尋。在他懷中，是他十二年來魂之所牽，心之所繫呀！他無力思想，在夢凡如此強烈的告白下，他也不要去思想了！

18 再掙扎

夏磊和夢凡，是天濛濛亮的時候，回到康宅後院裡的。

兩人的眼光，仍然痴痴的互視著，兩人的手，悄悄的互握著，兩人的神志，都是昏昏沉沉的，兩人的腳步，都是輕輕飄飄的。

才走進後院，就被胡嬤嬤一眼看到了。

『天啊！』

胡嬤嬤輕呼了一聲，趕過來，就氣急敗壞的把兩人硬給拆開。

『小姐！小姐啊！』胡嬤嬤搖著夢凡：『妳快回房間裡去！別給銀妞翠妞看到！快回去！我

的老天爺啊！妳不要神志不清，害了自己，更害了磊少爺呀！』

夢凡一震，有些清醒了。

『快去！』胡嬤嬤一跺腳。『快去呀！有話，以後再談呀！』

夢凡驚悟的，再看了夏磊一眼，轉身跑走了。

胡嬤嬤一把拉著夏磊，連拖帶拉，把他拉進了房裡。轉身關上房門，又關上窗子，胡嬤嬤一回頭，臉色如土。

『不可以！絕對不可以！』她驚慌失措的喊：『磊少爺，你老實告訴我，你跟夢凡小姐做了些什麼？你們夜裡溜出家門，做了些什麼？你說！』

『沒有什麼呀！』夏磊勉強的看著胡嬤嬤。『我到望夫崖上去，然後她來崖上找我，我們就這樣站在望夫崖上……回憶著我們的童年……我們就這樣站著，把什麼都忘記了！』

『你沒有……沒有和夢凡小姐那個……你……』胡嬤嬤一咬牙，直問出來：『你沒有侵犯她的身子吧？』

『當然沒有！』夏磊一凜，不禁打了個寒顫。『我還不至於糊塗到這種地步！她是玉潔冰清的大家閨秀呀！』

『阿彌陀佛！』胡嬤嬤急著唸佛。『菩薩保佑！』她唸完了佛，猛的抬頭，怒盯著夏磊。『磊少爺！你是害了失心瘋嗎？你這樣勾引夢凡小姐，你怎麼對得起老爺太太？當年你無父無母，無家可歸，是老爺遠迢迢把你從東北帶回來，養你，教你，給你書唸……你就這樣恩將仇報，是不是？』

夏磊熱騰騰的心，驀然被澆下一大桶冷水。他睜大眼睛看胡嬤嬤，在她的憤怒指責下痛苦起來。

『恩將仇報？那有這麼嚴重？我……應該和乾爹去談一談……』

『不許談！不能談！一個字都不能談！』胡嬤嬤嚇得魂飛魄散。『你千萬不要把你那些個自由戀愛的思想搬出來，老爺是怎樣的人，你又不是不知道！康家和楚家，幾代的交情，才會結上兒女親家，你和夢凡小姐，出了任何一點差錯，都是敗壞門風的事，你會要了老爺的命！』

『不會吧？』他沒把握的。

『會！會！會！』胡嬤嬤急壞了，拚命去搖著夏磊：『磊少爺！你怎麼忽然變成這樣？你不顧老爺太太，也不顧天白少爺嗎？』

『天白……』夏磊的心，更加痛苦了。

『磊少爺啊!』胡嬤嬤痛喊出聲,眼淚跟著流下來了:『做人不能這樣不厚道,這是錯的!一定是錯的!你傷了老爺的心,傷了天白少爺,你也會傷了夢凡小姐呀!做人,一定要有良心,一定不能忘了自己的身分……』

身分?又是身分二字!夏磊的心,就這樣沉下去,沉進一潭冰水裡去了。

除了胡嬤嬤,天白那熱情坦率的臉,簡直是夏磊的『照妖鏡』。他追著夏磊,急切的,興奮的,毫不懷疑的問:

『怎麼?夏磊,你有沒有幫我去和夢凡談一談呢?』

『天白,我……』他支支吾吾,好像牙齒痛。

『哦,我知道了!』天白的臉紅了。『你跟我一樣,碰到男女之間的事,你就問不出口來了!其實,你眞是的……』他礙口的說:『我是當局者迷,所以不好意思問,你是旁觀者清,怎麼也和我一樣害臊!』他想了想,忽然心生一計。『我去求天藍,你說怎樣?她們兩個,從小就親密,說不定,夢凡會告訴天藍的!』

不妥!如果夢凡眞告訴了天藍,會天翻地覆的!他本能的一抬頭,衝口而出:

『不好！』

『不好？』天白睜著清澈的眼睛。『那，你的意思是怎樣？你說呀說呀，別吊我胃口！』

『天白，』他猛吸口氣，鼓起全部的勇氣來，勉勉強強的開了口：『你知道，夢凡是舊式家庭裡的新女性，她不喜歡舊社會裡的各種拘束，從小，她就跟著我們山裡、樹林裡、岩石堆裡奔奔竄竄，所以，養成她崇尚自由的習慣……』

『我懂了！』天白眼睛一亮。

『你懂了？』夏磊愕然的。怎麼你懂了？我還沒說到主題呢！你懂了？眞懂了？他咬牙，停住了口。

『我就當作從沒有和她訂過婚！』天白揚了揚頭，很得意的說：『我要把「婚約」兩個字從記憶裡抹掉，然後，我現在就開始去追求她！你說怎樣？』他注視他。『當然，追女孩子的技巧我一點也沒有，怎麼開始都不知道！最重要的事是，我要向她表明心迹！表明即使沒有婚約，我也會愛她到底！瞧，』他拍了拍自己的腦袋。『我可以在你面前很輕易的說出這句話來，但是，見了她，我的舌頭就會打結！唉！我眞羨慕你呀！』

『羨慕我？』他又怔住了。

『是啊！你不入情關，心如止水，這，也是一種幸福呢！學校裡崇拜你的女孩子一大堆，就沒看到你對誰動過心！天藍、夢凡從小追隨著你，你就把她們當妹妹一樣來愛惜著……說實話，我有一陣子滿怕你的……』

『怕我？』他又一愕。

『是啊！別裝糊塗了！』他在他肚子上捶了一拳。『你難道不知道，夢華爲了你，和天藍大吵了一架？』

『有這等事？』他太震驚了。

『記得我們上次去廟會裡套藤圈圈，你不是幫天藍套了一個玉墜子嗎？那小妞把玉墜子戴在脖子上，給夢華發現了，吵得天翻地覆呢！』

『是嗎？我都不知道！』

『是我教訓了夢華的！我對他說：你也太小看夏磊了，夏磊那個人，別說朋友妻，不可戲！就是朋友的朋友，他也會格外尊重，更何況是兄弟之妻呢？』

夏磊整個人驚悸著，像挨了狠狠的一棒，頓時慚愧得無地自容。他定睛去看天白，難免疑惑，天白是否話中有話，但是，天白的臉孔那麼眞摯和自然，簡直像陽光般明亮，絲毫雜質都沒有。

夏磊心中激盪不已：天白啊天白，兄弟之妻，不可奪呀！我將遠離夢凡，遠離遠離夢凡！我發誓！他痛苦的做了決定：從今以後，遠離夢凡！

遠離夢凡，下決心很容易，做起來好難呀。在學校裡，他開始瘋狂的唸書，響應各種救國活動，把自己忙得半死。下了課不敢回家，總是溜到康記藥材行去。藥材行近來的生意很好，心眉常常在藥材行幫忙。看到眉姨肯走出那深院大宅，學著做一點事情，夏磊也覺得若有所獲。心眉包藥粉的手已經越來越熟練，臉上的笑容也增加了。

『小磊，是你提醒我的，人活著，總要活得有點用處！以前我總是悶在家裡，像具行屍走肉似的！現在，常到康記來幫忙，學著磨藥配葯，也在工作裡獲得許多樂趣，謝謝你啊，小磊。』

夏磊看著心眉，那開展了的眉頭是可喜的，那綻放著光彩的眼睛卻有些兒不尋常！樂趣？她看來不止獲得樂趣，好像獲得某種重生似的。夏磊無心研究心眉，他自己那糾糾纏纏如亂線纏繞的千頭萬緒，那越裹越厚的，簡直無法掙脫的厚繭，已使他無法透氣了。真想找個人說一說，真想和康勤談點什麼，但是，康勤好忙呀，又要管店，又要應付客人，又要那麼熱心的指導心眉。他顯然沒時間來管夏磊的矛盾和傷痛了。

這段時期，夏磊的脾氣壞極了。每次一見到天白，望夫崖上的一幕，就在夏磊腦中重演。怎能坦坦蕩蕩的面對天白呢？怎可能沒有犯罪感呢？同樣的，他無法面對夢凡，無法面對夢華，也無法面對天藍。他突然變成了獨行俠，千方百計的逃避他們每一個。

逃避其他的人還容易，逃避夢凡實在太難太難了。她會一清早到他房門口等著他，也會深夜聽著他遲歸的足音，而熱切的迎上前來：

『怎麼回來這麼晚？你去哪裡了？怎麼一清早天沒亮就出去？你都在忙些什麼呢？你……』

『我忙，』他頭也不回的，冷峻的說：『我忙得不得了！忙得一時片刻都沒有！妳別管我，別找我，別跟我說話！妳明知道，我這麼「忙」，就爲了忙一件事：忙著躲開妳！』

說完，不敢看夢凡的表情，他就奪門而出。跑進樺樹林，跑進曠野，跑到河邊，然後，衝進河水裡，從逆流往上游奔竄。河水飛濺了他一頭一身，秋天的水，已經奇寒徹骨。他就讓這冰冷的水濺濕他，淹沒他，徒勞的希望，這麼冷的水可以澆熄他那顆蠢動不安的、熾熱的心！

19 望夫崖上

這麼千方百計的逃開夢凡，應該就不要再上望夫崖的。但是，那座石崖有它的魔力，夏磊覺得自己像是中了邪，三番兩次，就是忍不住要上望夫崖。站在崖上，登高一呼，心中的塊壘，似乎會隨聲音的擴散，減輕不少。

這天清晨，他又站在望夫崖上了。太陽還沒有從山凹裡冒出來，四野在曉霧迷濛中是一片蒼茫。灰蒼蒼的天，灰蒼蒼的樹林，灰蒼蒼的原野，灰蒼蒼的心境。他對著雲天，放開音量，大喊：

『皇天在上！后土在下！』

皇天在上！后土在下！回音四面八方傳了回來：皇天在上！后土在下！他心中苦極，陡的一轉身，想下崖去。才轉過身子，就發現夢凡像個石像般杵在那兒。

不行不行不行……夢凡，我們不能再單獨見面！不行不行不行不行……他才抬腳要走，夢凡已經嚴厲的喊：

『不准走！』

夏磊一驚，從來沒聽過夢凡這樣嚴厲的聲音，他怔住了。

『夏磊！』夢凡憋著氣，忍著淚，淒然的說：『你這樣躲著我，你這樣殘忍的對我，是不是告訴我，上次在這望夫崖上的事都一筆勾消了！你覺得那天……是你的汚點，是你的羞恥，你的錯誤，你後悔不及，恨不得跳到黃河裡去洗洗乾淨！是不是？是不是？』

夢凡！他心中痛極，夢凡，妳饒了我吧！我是這樣的懦弱，無法面對愛情又面對友誼，我是這樣的自卑，無法理直氣壯的爭取，也無法面對一團正氣的乾爹呀！

『你說話啊！』夢凡落下淚來：『你清楚明白的告訴我啊！只要你說出來，你打算把我從你生命裡連根拔除了，毫不眷戀了，那麼……我會主動躲著你，我知道你討厭見到我，我也會警告自己，不再上望夫崖來了！』

他抬起頭，盯著夢凡，苦苦的盯著夢凡，死死的盯著夢凡。

『我已經完全不顧自己的自尊了，我千方百計的要跟著你，你卻千方百計的要甩開我！我從來沒有覺得自己如此卑賤！你這樣對我視而不見，聽而不聞……大概你巴不得永遠見不到我，巴不得我消失，巴不得我毀滅，巴不得我死掉算了……』

『住口！住口！』他終於大喊出聲。『妳這樣說是什麼意思？妳存心冤枉我！妳比任何人都瞭解我，妳明知道……明知道……』

『明知道什麼？』夢凡反問，咄咄逼人。『我什麼都不知道！我只知道你踐踏我的感情，摧殘我的自信，你是存心要把我置於死地！』

『夢凡啊！』他大吼著：『妳這樣子逼我……使我走投無路！妳明知道，我躲妳，是因爲我怕妳，我怕妳……是因爲我……那麼那麼的愛妳呀！』

夏磊這話一衝出口，夢凡整個人都震住了，帶淚的眸子大大的睜著，一瞬也不瞬的看著夏磊。夏磊也被自己的話嚇住了，張口無言。

兩人對視了片刻。

『你說了！』夢凡屏息的說，聲音小小的：『這是第一次，你承認了！即使上次，你曾忘形的抱住我，也不曾說你愛我……現在，你終於說出來了！』

夏磊震動至極，往後一靠，後腦重重的敲在岩石上。

『我完了！』

夢凡撲過來，一把抱住了夏磊的腰，把滿是淚的臉貼在夏磊肩上，痛哭著熱烈的說：

『旣然愛我，爲什麼躱我？爲什麼冷淡我？爲什麼不理我？爲什麼不面對我？爲什麼？爲什麼？……』

夏磊渾身綳緊，又感到那椎心蝕骨的痛。

『我努力了好久，拚命武裝自己，強迫自己不去想妳，不去看妳！我天沒亮就去上課，下了課也不敢回家，我這樣辛辛苦苦的強迫自己逃開妳，卻在幾分鐘內，讓全部的武裝都瓦解了！』他深吸了口氣：『爲什麼？妳還問我爲什麼？難道妳不知道爲什麼嗎？因爲……』他咬緊牙關，從齒縫中迸出幾個字來：『我「不能」愛妳！』

夢凡驚跳了一下，抬起頭來看夏磊。

『我怎能愛妳呢？』夏磊哀聲的說：『妳是乾爹的掌上明珠，是整個康家鍾愛的女兒，是楚家未過門的媳婦……我實在沒有資格愛妳呀！』他狼狽無助，卻熱情澎湃，不能自已。『不行的！夢凡，我內心深處，有幾千幾萬個聲音在對我吶喊：不行不行不行！是非觀念，仍然牢不可破的橫亘在我們中間！不行的，我不能愛妳！我沒有權利也沒有資格愛妳！』

『我們可以抗爭……』夢凡口氣不穩的說：『你說的，時代已經不同了！我們該爲自己的幸福去爭取……你，敢和北洋政府抗爭，卻不敢爲我們的愛情抗爭嗎？』

『因爲——』夏磊沉痛的，一字一句慢慢的說出來：『父母之命，尚可違抗；兄弟之妻，卻不可奪呀！』

夢凡似乎被重擊了一下，她退後，害怕的盯著夏磊。

『我每想到，』夏磊痛楚的，沉緩的繼續說著：『妳爹和娘會爲我們的事大受打擊，我就不敢愛妳了！我每想到，康楚兩家的友誼，我就更不敢愛妳了！我再想到，童年時，我們五個，情同手足，我就更更不敢愛妳了！再有天白，我只要想到天白，那麼信任我，愛護我的天白……我……我……』他的淚，奪眶而出了。『我只有倉皇逃開了！夢凡！』他抽了口氣，聲音沙嗄。『即使我可以和全世界抗爭，我也無法和自己的良心抗爭！如果我放縱自己去愛妳，我會恨我自己的！這種恨，最後會把我們兩個都毀滅！所以，我們的愛，是那麼危險的一種感情，它不止要毀滅康楚兩家的幸福與和平，它也會毀滅我們兩個！』他的聲音，那麼痛楚，幾乎每個字都滴著血，一字一字從他嘴中吐出來，這樣的字句和語氣，把夢凡給擊倒了。

夢凡更害怕了，感染到夏磊這麼強和巨大的痛楚，她惶恐、悲切而失措。

『那……那我們要怎麼辦呢？』她無助的問。

夏磊低下頭沉思，好一會兒，兩人都默然無語。崖上，只有風聲，來往穿梭。

忽然，夏磊振作了起來，猛一抬頭，他眼光如炬。

『我們，一定要化男女之愛，爲兄妹之情！』他的語氣，鏗鏘有力。『唯有這樣，我們才能愛得坦坦白白，問心無愧！也唯有這樣，我們這幾個從小一起長大的孩子，才能和平共處，即使是日久天長，也不會發生變化！』

夢凡被動的，目不轉睛的凝視著夏磊。心中愁腸百折。十分不捨，百分不捨，千分不捨，萬分不捨……卻心痛的體會出，夏磊的決定，才是唯一可行之路。自己如果再步步進逼，只怕夏磊終會一走了之。她眨動眼瞼，淚珠就洶湧而出。

『只有你，會用這種方式來說服我！也只有你，連「拒絕」我，都讓我「佩服」呀！』

『拒絕？』夏磊眼神一痛。『妳怎敢用這兩個字，來扭曲我的一片心！』

『我終於深深瞭解你了！』夢凡點著頭，依戀的、委曲求全的瞅著夏磊：『我會聽你的話，壓下男女之愛，昇華爲兄妹之情！但是，你也要答應我，以後，不要再刻意躲著我，讓我們也能像兄妹一樣，朝夕相見吧！』

他緊緊的注視她，好半晌，才用力一點頭。

『我答應妳！』他堅定的說：『那，我們就這麼說定了！從今以後，誰也不許犯規，我們要化男女之愛，為兄妹之情！』

她也用力點頭。眼光始終不曾離開他的臉。

兩人站在崖上，就這樣長長久久的痴痴對望。

太陽終於從山谷中昇起。最初，是一片燦爛的紅霞，徐徐上昇，緩緩擴大，燒紅了半個天空。接著，太陽像是從山後直接就蹦了出來，乍然間光芒萬丈。灰蒼蒼的天空先被朝霞映成紅色，接著，就轉為澄淨的蔚藍。灰蒼蒼的大地重現生命的力量，樹是蒼翠的綠，楓樹林是紅黃綠三色雜陳。蜿蜒的小河，是大地上一條白色的緞帶。

夏磊終於掉頭去看大地、看太陽、看天空。剎那間，感到自己的心，和初昇的旭日一般，光明磊落！

就這樣了。那天早上，他們在望夫崖上，做了這個神聖的決定。兩人都感到有壯士斷腕般的痛苦，卻也有如釋重負般的輕鬆。就這樣了，從今以後，一定要牢守這條遊戲規則，誰也不能越雷池一步！

夏磊覺得，自己一定能牢守規定。自從童年開始，夢凡就是他的小影子。在成長的過程中，總是她主動的追隨著他。所以，只要夢凡不犯規，他自認就不會犯規。可是，接下來的日子裡，他一點也不輕鬆。夢凡出現在他每個夢裡，每個思想裡，每頁書裡，每盞燈下，每個黎明和黃昏裡。他竟然甩不掉她，忘不掉她！見不到她時，思緒全都縈繞著她，見了面時，心中竟翻滾著某種狂熱的渴望……那渴望如此強烈，絕非兄妹之情！他一下子就掉進了水深火熱般的掙扎中，每個掙扎都是一聲呼喚：夢凡！無窮無盡的掙扎是無窮無盡的呼喚：夢凡、夢凡、夢凡、夢凡……

這就是故事一開始時，夏磊爲什麼會站在望夫崖上，心裡翻騰洶湧著一個名字的前因後果了。望夫崖上，有太多的掙扎；望夫崖下，有太多的回憶！過去的點點滴滴，由初見夢凡，到相知，到相戀，到決心化男女之愛到兄妹之情……長長的十二年，令人心醉，又令人心碎！

是的，就是如此這般的令人心醉，又令人心碎！夢凡呵！在無數繁星滿天的夜裡，在無數曉霧迷濛的清晨，還有無數落日銜山的黃昏，以及許多淒風苦雨的日子裡，夏磊就這樣佇立在望夫崖上，極目遠眺，走吧！走吧！走到天之外去！但是，夢凡啊！這名字像是大地的一部份，從山谷邊隨風而至。從樺樹林，從短松崗，從曠野，從湖邊，從丘陵上隆隆滾至，如風之怒號，如雷之震野。

夏磊就這樣把自己隔入一個進退失據、百結千纏的處境裡了。

20 醉酒

無論心裡有多麼苦澀，日子總是一天一天的挨過去了。由秋天到冬天，夏磊整整一季，苦守着自己的誓言，雖然和夢凡朝夕相見，却絲毫不敢越雷池一步。夢凡漸漸的瘦了，憔悴了，蒼白而脆弱。兩人交換的眼光裡，總是帶着深刻的，無言的心痛，會痛得人昏昏沉沉，不知東西南北。

夏磊眞不知道，在這種折磨中，他到底還能撐持多久。所有的矜持，所有的努力，却瓦解在一次醉酒上面。會喝醉酒，是因爲康勤。

這晚，夏磊在一種徬徨無助的心情下，到了康記藥材行。誰知，康勤却一個人在那兒喝悶酒。

時間已晚，店已經打烊了，康勤面對着一盞孤燈，看來十分落寞。

『好極了！』康勤已帶幾分酒意，看到夏磊，精神一振。『我正在百無聊賴，感懷自傷，你來了，我總算有個伴了！磊少爺，坐下！喝酒！喝酒！』

夏磊坐下來就舉杯。

『爲這「磊少爺」三個字，罰你三杯！』他激動的嚷着。『你三代受康家之恩，我兩代受康家之恩，彼此彼此，誰也不比誰強！何況，這是什麼時代了，還有「少爺」？』

康勤凄然一笑。

『不管你是什麼時代，這少爺、小姐、老爺、奴才都是存在的！許多規矩，是嚴不可破的！』

夏磊被深深撞擊了，眼中閃過了痛楚。

『康勤，你有話直說，不要兜圈子吧！』

康勤一怔。楞楞的看着夏磊。

『我並不是在說你……』

他忽然注意到康勤的蕭索和凄苦了。

『難道你也有難言之痛嗎？』

康勤整個人痙攣了一下。

『喝酒！小磊，讓我們什麼話都不要說，就是喝酒吧！管它今天明天，管它有多少無可奈何，我們就讓它跟着這酒，一口嚥進肚子裡去！』

『說得好！』夏磊連乾了三大杯。酒一下肚，要不說話是根本不可能的，他看着康勤，如獲知己。『康勤啊，我眞的快要痛苦死了！這康家，是養育我的地方，也是我所有痛苦的根源！我眞恨自己啊！爲什麼要有這麼多情感呢？人如果沒有情感，不是可以快樂很多嗎？我爲什麼不是風，不是樹木，不是岩石呢？我爲什麼做不到無愛無恨呢？我眞恨自己啊！』

康勤震動的看夏磊：

『小磊！把這個恨，也一口嚥進肚裡吧！我陪你！』說着，康勤就乾了杯子。

『好好好！』夏磊連聲說：『把所有的愛與恨，種種剪不斷理不清的思緒，統統嚥進肚子裡去！』他連乾了三杯。

『乾得好！』康勤漲紅了眼圈：『你是義子，我是忠僕，你不能不義，我不能不忠！人生，是故意給我們出難題！存心要把我們打進地獄裡去！』

『是呵是呵！』他喊着，完全弄不懂康勤爲什麼如此激動，却因康勤的激動而更加激動：『明知不該愛而愛！這就是忘恩負義！我這樣割捨不下，牽腸掛肚，簡直是可恥的事，夢凡，她是天白的妻子呀！我眞罪孽深重，不仁不義呀！』

康勤驚怔着，整個人都亢奮着。

『罪孽深重的人是我，是我啊！』

『不不，是我是我！』夏磊喊着。

『你只知道自己，不知道我啊！如果是在古時候，我是要在臉上刺字的！我——該死啊！』

『我才該死啊！』

兩人就這樣你一言，我一語，你一杯我一杯，說着，喝着，然後就哭着，說着，最後是哭着，喝着。夏磊酒量不深，終於大醉了。醉得又拍桌子，又摔杯子，又跳又叫，又哭又笑的大鬧起來：

『什麼樣的人生嘛！自己都做不了主！太荒謬了！太可笑了！什麼夏磊嘛！根本是個騙子！騙子！大騙子！騙天白，騙乾爹，騙夢凡，騙自己！什麼兄妹之情嘛！混蛋！說的比唱的還好聽！混蛋！一嘴的仁義道德，滿肚子的思念不捨，混蛋！虛僞！僞君子！小人！卑鄙！』他踢開凳子，脚步踉蹌的歪歪倒倒，振臂狂呼：『你給我滾出來！夏磊！我要揍扁你！揍得你原形畢露……』

康勤一急，酒醒了大半。

『完了！這下累了！』他趕快去扶住夏磊：『沒想到你酒量這麼差！趁你還走得動，我送你回家吧！』

康勤扶着夏磊，走進康家大院，無論康勤和老李怎樣制止，夏磊却一路吆喝着，大吼大叫個不停：

『喃！這是康家！康家到了！快！康勤！康福！康忠！銀妞！翠妞！胡嬤嬤……你們都快去給我把夏磊揪出來！我今天要爲乾爹報仇！快呀……』

整個康家，全體驚動了。秉謙、詠晴、心眉、夢凡、夢華以及丫頭僕傭，紛紛從各個角落裡奔來，驚愕的，震動的，不可思議的看着夏磊和康勤。

『天啊！』心眉面色如紙。『康勤，你，你，你帶着他喝酒！』

『康勤！』康秉謙怒吼一聲：『怎麼回事？你怎麼讓他喝得這麼醉？』

『老爺！對不起！』康勤的酒，已經完完全全醒了。『眞的不知道，他這樣沒酒量！是我的疏忽！』

夏磊站不穩，一個顛躓，差點跌倒。

夢凡發出一聲痛極的驚呼：

『啊！夏——磊！』

她伸出手去，想扶夏磊，又收回手來，不敢去扶。

康勤與老李早就一邊一個，架住了夏磊。

這樣一折騰，夏磊看到夢凡了。這一下不得了，他對着夢凡，就大吼大叫了起來：

『夢凡，妳記得妳給我的那個陀螺嗎？那是我第一次有陀螺！那個陀螺眞有趣極了，會在地上轉轉轉，不停的轉！如果快倒了，用鞭子一抽，它又轉起來，轉轉轉轉轉……我現在就像個陀螺，轉轉轉轉轉……』他抬頭看天，又低頭看地。『哈哈！天也轉，地也轉，房子也轉，我就這樣不停的轉……妳不要怕我倒下去，妳有鞭子啊，妳可以抽下來啊……』

夢凡震動極了，抬著頭，她呆呆看着夏磊，淚水在眼眶裡打轉，她必須用全力來控制，才不讓淚水滾出來。

夢華一個箭步走上前去，伸手撐住夏磊：

『夏磊！快回房間去吧！看你把爹娘都鬧得不能睡覺！走吧！快去！』

夏磊一把抓住夢華，忽然間熱情奔放。

『我告訴你，天白，兄弟就是兄弟，我們在曠野裡結拜，絕不是拜假的！』

夢華用開了夏磊的手，非常不悅的說：

『我是夢華！不是天白！』

夏磊怔怔的傾過去看夢華：

『你幾時變成夢華的？』他詫異的問。

康秉謙實在氣壞了，大步上前，他怒聲說：

『夏磊！你給我收斂一點！半夜三更，喝得醉醺醺的胡言亂語！你看看！你像什麼？你這樣不學好，讓我痛心！你眞氣死我了！』

夏磊一見康秉謙，頓時掙開了康勤老李，直奔到康秉謙面前去，東倒西歪，勉勉強強的想站穩，一面對自己怒喝：

『乾爹來了！你還不站好！站好！立正！敬禮！鞠躬……』

他一面喊着口令，一面對康秉謙立正，行軍禮，又鞠躬，頭一彎，整個人就煞不住車，撞到康秉謙身上去了。

『啊……』夢凡又驚叫出聲。

胡嬤嬤、康勤、老李、銀妞、翠妞……大家七手八脚，扶住了夏磊，各人嘴裡喊各人的，要勸夏磊回房去。夏磊却力大無窮的，掙開了衆人，抓住康秉謙，急切的、語無倫次的說：

『乾爹，你不要生氣，我一定要告訴你，我是多麼多麼尊敬你的！雖然你不見得能瞭解我，你墨守成規，固執己見！你造成我心中永遠的痛！可是，我還是尊敬你的！就因爲太尊敬你，才把我自己弄成這副德行……』

『胡嬤嬤！』詠晴插進嘴來：『你們幾個，給我把他拖回房裡去！不許他再鬧了！』

『是！』大家應着，又去拉夏磊：『走吧！走吧！』

『我會走的！』夏磊忽然大聲喊：『不要催！我會走得遠遠的！我會讓你們再也見不到我！』

『啊……』夢凡再低呼，把手指送到嘴邊，用牙齒緊緊咬着，以阻止自己叫出聲。

夏磊又大力一衝，胡嬤嬤等六七雙手，都抓不住他，他緊緊纏着康秉謙：

『乾爹！你不要這樣生氣，你聽我說，我不敢辜負你的！我眞的不敢！我永遠記得當年在東北，你安慰我爹，你讓他死而無憾！你收養了我！』他哭了起來：『你還收了我爹的屍，葬了他……你瞧，我不是統統記得嗎？我怎麼敢不感恩？您的恩重如山，即使要讓我粉身碎骨，我也該甘之如飴的！所以，讓我去痛吧！讓我痛死吧！是我欠您的！乾爹！謝謝！謝謝你賜給我的一切一切！請再接受我鄭重的一鞠躬……』

夏磊彎腰鞠躬，這一彎，就整個軟趴在地上，再也無力起來了。

康秉謙又驚又怒的看着地上的夏磊，被夏磊那番莫名其妙的話弄得心痛無比。醉後吐眞言！他的話中爲什麼有這麼多的『怨』？難道如此仁至義盡，夏磊還有不滿意？他越想越氣，抬頭大聲說：

『康忠，去給我提一桶水來！』

『是！』康忠領命而去。

『爹……』夢凡小小聲的叫，淚水在眼中滾來滾去。

『秉謙！』詠晴叫。

『老爺……』心眉怯怯的，看了康秉謙一眼，又去急急看康勤，眼中的痛楚，絕不會比夢凡少。康勤不敢接觸這樣的眼光，就試着去扶夏磊。

『你們都別攔我！全讓開！』康秉謙大叫。

康忠提了水過來，康秉謙接過水桶，對着夏磊就嘩啦啦的一淋。

夏磊渾身濕透，連打了兩個噴嚏，整個人清醒了過來。坐在地上，他滿頭滴着水，驚痛的注視着滿院子的人，知道自己又闖了禍。

『你給我進祠堂裡來！』康秉謙沈痛的說：『我們一起去見你爹！』他一把拉起夏磊。

夏磊走進祠堂，一看到父親的牌位，不由得雙膝點地，撲通跪倒，淚盈於眶了。

『爹！』他悲痛的喊着：『請您在天之靈，給我力量，給我指示！告訴乾爹，我眞的不要讓他傷心呀！』

『牧雲兄！』康秉謙也對牌位注視着：『我該拿他怎麼辦？管他，他說他不是我的親生子，不管他，他就這樣令人痛心啊！』

『乾爹！』夏磊拜倒於地，一疊連聲的說：『原諒我！原諒我！原諒我！』

21 留書

這天晚上，夏磊徹夜無眠。

坐在書桌前面，他思前想後，痛定思痛。終於，他下定了決心，揚起筆來，他寫下一封信：

『乾爹，乾娘：

在這離別的前一刻，我心中堆砌着千言萬語，想對你們說，却不知從何說起！

回憶我自從來到康家，就帶給你們無數的煩惱，我雖然努力又努力，始終無法擺脫我與生俱來的一些習性，一種來自原始山林的無拘無束。因而，我成長於康家、學習於康家，却從不曾像夢華夢凡般，與康家達到水乳交融的地步！

其實，我心裡也是很苦悶的，自幼，我在山林中來去自如，養成孤傲的個性。在康家成長的過程中，卻時時刻刻，必須約束自己。總覺得乾爹義薄雲天，才收養了無家可歸的我！所以，我畢竟是個「外人」。有時，竟為此感到自卑。這樣，當「自卑」與「自尊」在我心中交戰時，我竟變成那樣一個不可理喻的人了！那樣一個不可親近的人了！

乾爹、乾娘！其實，我的心是那樣熱騰騰的，我深愛你們，深愛夢華夢凡，以至天白天藍和康家所有所有的人！這份熱愛竟也困擾着我了！不知愛得太多，是不是一種僭越！於是，熱騰騰的心往往又會變得冷冰冰，欲進反退，欲言又止，我就這樣徘徊在康家門前，弄不清自己可以愛，還是不可以愛！乾爹啊，箇中矛盾，眞不是我三言兩語説得清楚的！或者，在久遠久遠以後，你終究會有瞭解我的一天！

帶著懺悔，帶着不捨，我走了！乾爹乾娘，請相信我，有朝一日我會再回來的！請不要以我爲念！我將永遠永遠記住你們！希望，當我回來的那一天，你們會更喜歡那個蛻變後的小磊！別了！恭祝

健康幸福！

兒　磊留字』

夏磊把信封好，放在一旁。想了想，又提筆寫下：

『夢凡：

我帶走了妳送我的陀螺，這一生，我都會保有它，珍藏它！

請爲我孝順乾爹乾娘，請爲我友愛夢華天藍，請爲我報答胡嬤嬤、康勤、眉姨、銀妞、翠妞……諸家人。尤其，請爲我——特別體恤天白！別了！願後會有期！並千祈珍重！

兄　磊留字』

夏磊把兩封信的信封寫好，擱筆長嘆，不禁唏噓。把信壓在鎮尺下面，他站起身來，看着窗子，天已經濛濛亮了，曙色正緩緩的漾開。窗外的天空，是一片蒼涼的灰白。

夏磊提起簡單的行囊，淒然四顧，毅然出屋而去。

22 馬廄

追風靜靜的佇立在馬廄裡，頭微微的昂着，曉色透過柵欄，在馬鼻子上投下一道光影。夏磊拎着行囊，走了過去，拍了拍馬背，啞聲的低語：

『追風，十二年前，我們曾經出走過一次，却失敗而歸，才造成今日的種種。現在，我們是眞正的要遠行了！』

追風低哼了一聲，馬鼻子呼着熱氣。夏磊把行囊往馬背上放好，再去牆角取馬鞍。這一取馬鞍，才赫然發現，馬廄的乾草堆上，有個人影像剪影般一動也不動的坐着。

『夢凡！』夏磊失聲驚呼：『妳怎麼在這裡？妳在這裡做什麼？』

夢凡站起身來了，慢慢的，她走近夏磊，慢慢的，她看了看馬背上的行囊，再掉頭看着夏磊。她的眼光落在他臉上，痴痴的一瞬也不瞬。她的聲音也是緩慢的，滯重的，帶着微微的震顫：

『要走了？決定了？』

夏磊震動的站着，注視着夢凡，思想和神志全凝固在一起。一時間，什麼話都說不出來。

『從昨天半夜，你被爹叫進祠堂以後，我就坐在這兒等你！』夢凡緩慢的吸了口氣：『兄妹一場，你要走，我總該送送你！』

『妳……』夏磊終於痛楚的吐出了聲音：『妳已經料到我要走了？』

『哦，是的！』夢凡應着。『十二年了，你的脾氣，你的個性，我都看得清清楚楚！這一陣子，我們都經歷過了最重大的選擇，面對過最強大的愛和掙扎，如果我曾痛苦，我不相信你就不曾痛苦！』

夏磊怔怔的站着，眼光無法從夢凡那美麗而哀戚的臉龐上移開。

『昨夜你喝醉了，』夢凡繼續說：『你大鬧康家，驚動了家裡的每一個人！你的醉言醉語，不知道今天還記得多少？但是，你說過的每一個字，我都記得！你說我是第一個給你陀螺的人，我害你一直轉呀轉呀轉不停。我手裡拿着鞭子，每當你快轉停的時候，我就會一鞭子揮下去，讓你繼續的轉轉轉……』

夏磊心中絞起一股熱流，眼中充淚了。

『我這樣說的嗎？』

『是的！你說的！』夢凡凝視着他。『我這才知道，我是這麼殘忍！我一直對你揮着鞭子，害你不停的轉！我眞殘忍……原來，這麼多年以來，我一直這樣對你！請你，原諒我吧！』

夏磊強忍着淚，緊緊的盯着夢凡。

『我想，我不該再拿着鞭子來抽你了，如果你不想轉，就讓你停吧！但是，經過昨夜的一場大鬧，經過爹對你的疾言厲色，經過在祠堂裡的懺悔，再經過酒醒後的難堪……知你如我，再怎樣也猜得到，這次你是眞的要走了！如果連這一點默契都沒有，我還是你所喜歡的夢凡嗎？』

夏磊眼睛眨動，淚便奪眶而出。

『所以，我來了！』夢凡的聲音，逐漸變得堅強而有力。『我坐在這兒等你！面對你將離開我，這麼嚴重的問題，我沒有理智，也無法思想，所以——我又拿着鞭子來了！』

『夢凡！』夏磊脫口驚呼了。

『我不能讓你走！』夢凡強而有力，固執而熱烈的說：『我捨不得讓你走！你罵我殘忍吧！

你怪我揮鞭子吧！我就是沒辦法……我就是不能讓你走！』

夏磊再也無法自持了，他強烈的低喊了一聲：

『夢凡呵！』

就往夢凡衝了過去。這一衝之下，夢凡也瓦解了，兩人就忘形的抱在一起了。經過片刻的迷失，夏磊震驚的發現夢凡竟在自己懷中，他渾身痙攣，一把推開了夢凡，他踉蹌後退，慌亂的，啞聲的喊了出來：

『瞧！這就是妳揮鞭子的結果！妳這樣子誘惑我！這樣子迷惑我……不不不！夢凡！我這麼平凡，無法逃開妳強大的吸引力……我終有一天會犯罪……我必須走！』

他拿起馬鞍，放上馬背，繫馬鞍的手指不聽使喚的顫抖着。

夢凡淚眼看着他，面如白紙。

『不許走！』她強烈的說。

『一定要走！』他堅決的答。

『你走了，我會死！』她更強烈的說。

他大驚，震動的抬頭盯着她。

『妳不會死！』他更堅決的答：『妳有爹娘寵着，有胡嬤嬤、銀妞、翠妞照顧着，有夢華天藍愛護着，還有天白——那麼好的青年守着妳，妳不會死！』

『會的！』她固執的：『那麼多的名字都沒有用！如果這些名字中沒有你！』

夏磊深抽了口氣。

『夢凡，妳講不講理？』

『我不講理！』夢凡終於嚷了出來：『感情的事根本就無法講理！你走了，我就什麼都沒有了！爹和娘不重要了，所有的人都不存在了！什麼國家民族，我也不管了！我這才知道，我的世界只有你，你走了，我就什麼都沒有了！』

夏磊倒退了一步，心一橫，伸手解下馬韁。

『對不起，我必須走！』

夢凡急忙往前跨了一步，終於體會到夏磊必走的決心了。她昂着頭，死死的看着他。

『你一定要走？我怎麼都留不住你了？』

『是！』

『那麼，』夢凡似乎使出全身的力氣，深深的抽了口氣：『讓我送你一程！』

23 曠野

曠野，依然是當年的曠野。童年的足跡似乎還沒有消失，兩個男孩結拜的身影依稀存在。不知怎的，十二年的時光竟已悄然隱去。曠野依舊，朔野風寒。曠野的另一端，望夫崖佇立在曉色裡，是一幢巨大的黑影。

夏磊牽着馬，和夢凡站定在曠野中。

『不要再送了！』夏磊再看了夢凡一眼，毅然轉頭，躍上了馬背。『夢凡！珍重！』

夢凡抬着頭，傲岸的看着夏磊，不說話。

『再見！』

夏磊丟下了兩個字，一拉馬韁，正要走，夢凡用一種他從未聽過的，淒絕的聲音，詛咒般的說了出來：

『你只要記得，望夫崖上那個女人，最後變成了一塊石頭！』

夏磊渾身顫慄。停住馬，想回頭看夢凡，再一遲疑，只怕這一回頭，終身都走不掉！他重重的，用力的猛拉馬韁，追風撒開四蹄，揚起了一股飛灰，絕塵而去。

夢凡一動也不動，如同一座石像般挺立在曠野上。

追風疾馳着，狂奔着。

夏磊頭也不回的，迎着風，策馬向前。曠野上的枯樹矮林，很快的被拋擲於身後。

『你只要記得，望夫崖上那個女人，最後變成了一塊石頭！』

夢凡的聲音，在他耳邊迴響。他控着馬韁，逃也似的往前狂奔。

『望夫崖上那個女人，最後變成了一塊石頭！』

夢凡的聲音，四面八方的對他捲來。

他踩着馬鐙，更快的飛奔。

『變成了一塊石頭！變成了一塊石頭！變成了一塊石頭！變成了一塊石頭……』

夢凡的聲音，已滙爲一股大浪，鋪天鋪地，對他如潮水般湧至，迅速的將他淹沒。

『變成一塊石頭！變成一塊石頭！變成一塊石頭……』

幾千幾萬個夢凡在對他喊，幾千幾萬個夢凡全化爲巨石，突然間聳立在他面前，如同一片石之林。每個巨石都是夢凡傲然挺立，義無反顧的身影。

夏磊急急勒馬。追風昂首長嘶，停住了。

『夢凡呵！』夏磊望空吶喊。

他再也控制不了自己，掉馬回頭，他對夢凡的方向狂奔回去。

『不要變成石頭！請求妳……不要變成石頭！』

他邊喊邊奔，但見一座又一座的『望夫崖』，在曠野上像樹木般生長起來。

他陡的停在夢凡面前了。

夢凡仍然傲岸的仰着頭，動也不動。

他翻身落馬，撲奔到她的身邊，害怕的，恐懼的抓住了她的手臂，猛烈的搖撼着她。

『不要變成石頭！求求妳，不要變成石頭！不要！不要！不要……』

夢凡身子僵直，佇立不動，似乎已經成了化石。夏磊心中痛極，把夢凡用力一摟，緊攬於懷，他悲苦的，無助的哀呼出聲：

『我不走了！不走了！妳這個樣子，我怎能捨妳而去？我留下來，繼續當妳的陀螺，爲妳轉轉轉，那怕轉得不知天南地北，我認了！只要妳不變成石頭，我做什麼都甘願！』

夢凡那蒼白僵硬的臉，這才有了表情，兩行熱淚，奪眶而出，沿頰滾落。她抱住夏磊，痛哭失聲。一邊哭着，她一邊泣不成聲的喊着：

『你走了！我的魂魄都將追隨你而去，留下的軀殼，變石頭，變木頭，變什麼都沒關係了！』

『怎麼沒關係！』夏磊哽咽着，語音沙嗄：『妳的軀殼和妳的魂魄，我無一不愛！妳的美麗，和妳的愚蠢，我也無一不愛呀！』

夢凡震動的緊偎着夏磊，如此激動，如此感動，她再也說不出話來。追風靜靜的站在他們旁邊，兩人一騎，就這樣久久、久久的佇立在廣漠的曠野中。

24 天白

這天晚上，夏磊和夢凡一起燒掉了那兩封留書。

既然走不成，夏磊決心要面對天白。

『這並不困難，』夏磊看着那兩封信，在火盆中化為灰燼，掉頭凝視夢凡。『我只要對天白說，我努力過了，我掙扎過了，我已經在烈火裡燒過，在冰川中凍過，在地獄裡煎熬過……我反正沒辦法……我只要對他坦白招認，然後，要打要罵要懲罰要殺戮，我一併隨他處置……就這樣了！這……並不困難，我所有要做的，就是去面對天白！只有先面對了天白，才能再來面對乾爹和乾娘！是的！我這就……面對天白去！』

夢凡一語不發，只是痴痴的、痴痴的凝視着他，眼中綻放着光彩。

應該是不困難的！但是，天白用那麼一張信賴、歡欣、崇拜而又純正無私的面孔來迎向他，使他簡直沒有招架的餘地。在他開口之前，天白已經嘻嘻哈哈的嚷開了：

『你的事我已經知道哩！統統都知道了！』

『什麼？』他大驚。『你知道了？』

『是啊！』天白笑着：『夢華來我家，把整個經過都跟我們說了！我和天藍聞所未聞，都笑死了！』

『夢華說了？』他錯愕無比。『他怎麼說？』

『說你喝醉了酒，大鬧康家呀！』天白瞪着他，眼睛裡依舊盛滿了笑。『你對着康伯伯，又行軍禮，又鞠躬，又作揖……哈哈！有你的！醉酒也跟別人的醉法不一樣！你還把夢華當做是我，口口聲聲說拜把子不是拜假的！』天白的笑容一收，非常感動的注視着他，重重的拍了他一下。

『夏磊，你這個人古道熱腸，從頭到脚，都帶着幾分野性，從內到外，又帶着幾分俠氣！如果是古時候，你準是七俠五義裡的人物！像南俠展昭，或是北俠歐陽春！』

『天白，』他幾乎是痛苦的開了口：『不要對我說這些話，你會讓我……唉唉……無地自容！』

『客氣什麼，恭維你幾句，你當仁不讓，照單全收就是了！』天白瞪了他一眼。『其實，你心裡的痛苦我都知道，寄人籬下必然有許多傷感！但是，像你這樣堂堂的男子漢，又何必計較這個？康伯伯的養育之恩，你總有一天會報的！你怕報答不夠，我來幫你報就是了！你是他的「義子」，我是他的「半子」呀！』

夏磊凝視天白，應該是不困難的，但，他卻一個字也說不出口！半個字也說不出口！說不出口，怎樣回去面對夢凡？

夏磊不敢回康家，衝進野地，他踢石頭，捶樹幹，對着四顧無人的曠野和雲天，仰首狂呼：

『夏磊！你完了！你沒出息！你懦弱！你混蛋！你敢愛而不敢爭取……你為什麼不敢跟你的兄弟說——你愛上了他的未婚妻！你這個孬種！你這個偽君子……』

喊完了，踢完了，發洩完了……他筋疲力盡的垂着頭，像個戰敗的公鷄。

25 『康記』

那天深夜，把自己折騰得憔悴不堪，他不敢回康家，怕見到夢凡期待的臉孔。那麼徬徨，那麼無助，他來到康記藥材行門前，在這世上，唯一能瞭解他的人，就是康勤了！康勤！救命吧！康勤，告訴我，我該怎麼辦？

康記藥材行的門已經關了，連門上掛的小燈籠也已經熄滅了。夏磊推推門，裡面已經上了閂。他撲在門上，開始瘋狂般的捶門，大嚷大叫著：

『老闆！開門哪！不得了！有人受重傷！老闆！救命哪！老闆！快來呵！救命哪……』

一陣亂嚷亂叫以後，門閂『豁啦』一響，大門半開，露出康勤倉皇驚慌的臉，夏磊撞開了門，就直衝了進去。

『有人到了生死關頭，你還把門關得牢不可破……』他衝向康勤的臥室門口：『快把你藏在屋裡的花雕拿出來，我需要喝兩杯……』

『磊少爺……』康勤驚呼：『不要……』

來不及了，夏磊已撞開了臥室的門，只見人影一閃，有個女人急忙往帳後隱去，夏磊一顆心跳到了喉嚨上，驚愕至極，駭然的喊了一聲：

『眉姨！』

心眉站住了，抬起頭來，面如死灰的瞪視著夏磊。

康勤慌張的把門重新門好，奔過來，對著夏磊，就直挺挺的跪了下去。

『磊少爺！不能說呀！你千萬不能說出去呀！』

心眉見康勤跪了，就害怕的也跪下了：

『小磊！我求你，別告訴你乾爹乾娘，只要說出去一個字，我們兩個就沒命了！』

夏磊瞪視著心眉和康勤，只覺得自己的心臟，掉進了一個深不見底的深谷裡去了。

『你們……你們……』他結舌的說，幾乎不敢相信這個事實。『你們背叛了乾爹？你們……居然……』

『磊少爺！』康勤哀聲說：『請原諒我們！一切的發展，都不是我們自己所能控制，實在是情非自已呀！』

『怎麼會這樣？』夏磊太震驚了，顯得比康勤心眉還慌亂。『我完全被你們攪亂了！你們起來，不要跪我……』

『千錯萬錯，都是我錯！』心眉雙手合十，對夏磊拜著。『我不該常常來這兒，學什麼處方配藥！我不該來的！但是，小磊，你也知道的，我在家裡是沒有地位的，那種失魂落魄的生活，我過得太痛苦了呀！』她看了康勤一眼。『康勤……他瞭解我，關心我，教我這個，教我那個，使我覺得，自己的存在又有了價值，於是我就常常來這裡找尋安慰……等我們發現有了不尋常的感情時，我們已經無法自拔了！』

『可是，可是，』夏磊又驚駭，又痛苦。『眉姨！你們不能夠！這種感情，不可能有結果，也不可能有未來呀！你們怎麼讓它發生呢？』

康勤羞慚無地的接了口：

『我們都知道！我們兩個，都不是小孩子，都經歷過人世的滄桑，我們應該會控制自己的感情，可是，人生的事，就是無法用「能夠」與「不能夠」來預防的！小磊，你不是也有難言之痛嗎？』

夏磊的心口一收，說不出來的難過。

『小磊，你是始作俑者啊！』心眉急切的說：『是你從五四回來，大聲疾呼，每個人都有爭取快樂的權利，是你一語驚醒夢中人，讓我從沉睡中醒過來！』

『哦！』夏磊狼狽的後退，扶住一張椅子，就跌坐了下去。『我怎麼會說這麼多話？說了，却又沒有能力爲自己的話收拾殘局！老天啊！』他驚慌的看著兩人，越來越體會到事情的嚴重性。『你們怎麼辦？如果給乾爹知道了……康勤，眉姨，你們……老天啊，你們怎麼辦？』

康勤打了個冷顫。

『磊少爺！所以，求你千萬別說！對任何人都不能說！對夢凡小姐或天白少爺，都不能說呀！』

『是！是！是！』心眉害怕極了，聲音中帶著顫抖：『如果給你乾爹知道了，我們兩個，是根本活不成的！康勤是他的忠僕，我是他的姨太太，我們就像這藥材行一樣，是有「康記」字樣的！』

『是啊，你們明知道的！』夏磊更慌了。『你們明知故犯！我現在才明白了！我早該看出來的！我眞笨！可是，可是，你們到底要怎麼辦呢？』他激動的抓住康勤：『康勤，乾爹承受不了這個！即使他能承受，他也不會容忍！即使他能容忍，他也不會原諒……你們，你們懸崖勒馬吧！好不好？好不好？我們離開這個房間，就當什麼事都沒發生過！我不說，你們也不說，把這件事整個忘掉，好不好？好不好？你們再也不要繼續下去，好不好？』

康勤慚愧無比，痛心的看了看心眉，再看夏磊：

『你這樣吩咐，我就照你的吩咐去做！』他轉向心眉：『小磊說得對，懸崖勒馬！在我們摔得粉身碎骨之前，唯有懸崖勒馬一條路了！』

心眉垂下頭去，淚水大顆大顆的湧了出來，一串串的滾落了下去。

『小磊，』她哽咽的：『我會感激你一生一世，只要這事不聲張出去，我……我……我們都聽你的！懸崖勒馬，我……我們就……懸崖勒馬！』

夏磊站起身子，迫不及待的去扶心眉。

『眉姨，我們快回家吧！回去以後，誰都別露聲色！走吧！再不走，夜就深了！』

心眉慌慌張張的站起身子，情不自禁的，眼光又投向康勤，滿眼的難捨難分。

『康勤……』她欲言又止，身子搖搖欲墜。

康勤也站了起來，望著心眉，他伸手想扶她，在夏磊的注視下，他勉強克制了自己，把手硬幫幫的收了回來。

『我都懂的，妳別說了！』他淒涼的回答：『能生活在同一個屋簷下，彼此都知道彼此，偶爾見上一面，心照不宣，也是一種幸福吧！……也就夠了！妳，快去吧！』

夏磊看著兩人，依稀彷彿，他看到的是自己和夢凡，他的心臟，爲他們兩個而絞痛，一時間，只感到造物弄人，莫過於此了。但，他不敢再讓他們兩人依依惜別，重重的跺了一下脚，他簡單的說：

『走吧！』

心眉不敢猶豫，抹抹淚，她惶惶然如喪家之犬，心碎的跟著夏磊去了。

26 小樹林內

發現了康勤這麼大的秘密，夏磊整個人都被震懾住了。在害怕、焦慮、担心、難過……各種情緒的壓力下，還有那麼深刻的同情和憐恤。他同情心眉，同情康勤，也同情康秉謙。看到康秉謙毫不知情的享受著他那平靜安詳的日子，堅稱『恬淡』就是幸福。夏磊心驚胆戰。每次走進康家那巍峨的大門，每次穿過湖心的水榭，每次看著滿園的銀杏石槐，和那些曲徑迴廊時，他都感到康家的美景只是一個假象，事實上却是烏雲密佈，暗潮洶湧，而大難將至。

這些『暗潮』中，當然包括了自己和夢凡。在『康記』的事件之後，他幾乎不敢再去想夢凡，不敢再去碰觸這個問題。但是，夢凡見到夏磊一連數日，都是愁眉深鎖，對她也採取迴避的態度，她心裡就明白了！夏磊不敢告訴天白！他怎樣都開不了口！她失望極了。失望之餘，也有憤怒和害怕；夏磊不對了！夏磊完全不對了！他整個人都在瑟縮，都在逃避，他甚至不肯面對她，也不肯和她私下見面了！她又恐懼又悲痛，夏磊啊夏磊！你到底要把我們這份感情，如何處理？經過了曠野上『欲走還留』的一場掙扎，你如果還想一走了之，你就太殘忍太無情了！夢凡心底，千纏百繞，仍然是夏磊的名字。最深的恐懼，仍然是夏磊的離去。

這天一清早，夢凡忍無可忍，在夏磊門前攔截了他。四顧無人，夢凡拉著他，強迫的說：

『我們去小樹林裡談個清楚！走！』

在夢凡那燃燒般的注視下，夏磊無法抗拒。他們來到了小樹林，康家屋後的小樹林，童年時，夏磊來到康家的第一個早晨，就曾在這小樹林中，無所遁形的被夢凡捕捉了。如今，他們又站在小樹林裡了。

『夏磊，聽我說！』夢凡面對夏磊，一臉的堅決。『你不要再舉棋不定，你不要再矛盾了！我已經決定了——我們一起私奔吧！』

『妳說什麼？』夏磊大吃了一驚。

『私奔！』夢凡喊了出來，面容激動，眼神堅定。『我想來想去，沒有其他辦法了！你不是一直想回東北嗎?好!就回東北吧!我們一起回東北!』

夏磊深抽了口氣,眼光灼灼的盯著夢凡。

『私奔?妳居然敢提出這兩個字!夢凡呵!妳對追求愛情的勇氣,實在讓我佩服!坦白說,這兩個字,也在我腦海中盤桓過千百次,我就是沒有勇氣說出來!』

『那麼,就這樣辦了!』夢凡更加堅決了。『我們定一個計畫,收拾一點東西,說走就走!』

夏磊怔怔的看著夢凡。

『可是,我們不能這樣辦!』

『爲什麼?』夢凡大怒起來:『我已經準備爲你奉獻一切了!跟著你顛沛流離,吃苦受罪我都不怕!離鄉背井,告別爹娘,負了天白……我都不顧了!我就預備這樣豁出去,跟著你一走了之!你怎麼還有這麼多的顧慮?你到底在想些什麼?你說!你說!』

『我們如果私奔了,乾爹乾娘會陷進多麼絕望的打擊裡!一個是他們的掌上明珠,一個是愛如己出的義子……這種恩將仇報的事,我實在做不出來!何況天白……我們會把他對人世的熱情一筆勾消,我們會毀掉他……不不,我們不能這樣做的!』

『你胆小!你畏縮!』夢凡絕望極了,淚水奪眶而出。她雙手握著拳,對他又吼又叫的大嚷了起來：『你顧忌這個，你顧忌那個！你既不敢向全世界宣佈你對我的愛，又不敢帶著我私奔！你只會鼓吹你的大道理，一旦事到臨頭，你比老鼠還胆小！你這樣懦弱，眞讓我失望透了！』她用袖子狠狠的一拭淚，更憤怒的喊：『我終於認清楚你了！你這個人不配談愛情！你的愛情全是裝出來的！你滿口的仁義道德，只爲了掩飾你的無情！你只想當聖人，不想爲你所愛的女人做任何犧牲……事實上，你只愛你自己，只愛你所守住的仁義道德！你根本不愛我，你從來沒有愛過我……你是如此虛僞和自私，你讓我徹底的失望和絕望了！』

夏磊大大的睜著眼睛，緊緊的盯著夢凡，隨著夢凡的指責，他的臉色越來越白，呼吸越來越急促。他內心深處，被她那麼尖利的語言，像一刀一刀般刺得千瘡百孔，而且流血了。他不想辯白，也無力辯白。頭一昂，他勉強壓制住受傷的自尊，僵硬的說：

『既然妳已經把我認清楚了，我們也不必再談下去了！妳說的都對！我就是這樣虛僞懦弱！』

說完，他轉過身子，就預備走出林去。

『夏磊！』夢凡尖叫。

她的聲音那麼淒厲，使夏磊不得不停住了步子。他站著，雙目平視著前面的一棵樺樹，不願回頭。

夢凡飛奔過來，從夏磊背後一把抱住他的腰，痛哭了起來，邊哭邊喊著：

『原諒我！原諒我！原諒我……我口不擇言，這樣傷害你，實在是因爲我太愛太愛你呀！我願意隨你遠去天涯海角，也願意和你一起面對責難，就是無法忍受和你分開呀！』

夏磊轉過身子，淚，也跟著落下。

『夢凡，妳知道嗎？妳說的很多話都是對的！我胆小，我懦弱，我顧忌太多……妳可以罵我，可以輕視我，但是，絕對絕對不可以，懷疑我對妳的愛情！如果不是爲妳這樣牽腸掛肚，我可以活得多麼瀟洒快樂，多麼無拘無束，理直氣壯！妳說我根本不愛妳，這句話，哦！』他痛楚的噓了口氣。『我不原諒妳，我不要原諒妳！我——會恨妳！因爲恨妳比愛妳好受太多太多了！』

『不不不！』夢凡狼狽的用手捧住夏磊的臉，泣不成聲的說：『不要恨我！不要恨我！我是這麼這麼這麼這麼樣的愛你，你怎麼可以恨我呢？……』

夏磊崩潰在夢凡那強烈的表白下，忘了一切。忘了道德枷鎖，忘了康家天白，忘了仁義禮教，忘了是非曲直……他緊擁著她，把自己灼熱的唇，狂熱的緊壓在她那沾著淚水的唇上。

這是他第一次吻她，天旋地轉，萬物皆消。

他不知道吻了她多久。忽然間，有個聲音在他們耳邊爆炸般的響了起來：

『夏磊！夢凡！』

夏磊一驚，和夢凡乍然分開。兩人驚愕的抬頭，只見夢華雙手握拳，怒不可遏的對著他們振臂狂呼：

『好呀！你們兩個！躲在這樹林裡做這樣見不得人的事！夏磊！你混蛋！你欺負我妹妹！你憑什麼吻她！你不要臉！你無恥！你下流！』

他揮起拳頭，一拳打到夏磊下巴上。夏磊後退了一步，靠住樹幹，他抬頭迎視著夢華，忽然覺得一塊石頭落了地，所有混沌的局面都打開了。他深深吸口氣，斬釘斷鐵的，堅定有力的說：

『夢華，我沒有欺負你妹妹，我是愛上她了，完全無法自拔的愛上她了！就算要遭到全世界的詛咒，我也無可奈何，我就是這樣不可救藥的愛上她了！』

27 爆發

夏磊和夢凡的相戀，像一個火力強大的炸彈，轟然巨響，把整個康家，頓時炸得七零八落。

康秉謙的反應，比夏磊預料的還要強烈。站在康家的大廳裡，他全然無法置信的看着夏磊和夢凡，好像他們兩個，都是來自外太空的畸形怪物，是他這一生不曾見過，不曾接觸，不曾認識，更遑論瞭解的人類。他喘着氣，臉色蒼白，眼神錯愕，震驚得無以復加。

『小磊，』他低沉的說：『快告訴我，這是一個誤會！是夢華看錯了！對不對？』

『乾爹！』夏磊痛楚的喊：『我不能再欺騙你了，也不能再隱瞞你了！請你原諒我們，也請你成全我們吧！』

詠晴立即用手蒙着臉，哭了起來。好像人生最羞恥的事，就是這件事了。一面哭着，一面倒退着跌進椅子裡，銀妞翠妞兩邊扶着，她仍然癱瘓了似的，坐也坐不穩。

『秉謙啊！這可怎麼是好呀？』她抖抖索索的嚷着。『家裡出了這樣的醜事，我怎麼活呀？』

『小磊，』康秉謙兀自發着楞：『你所謂的原諒和成全，到底是什麼意思？』

『爹呵！娘呵！』夢凡撲了過來，哭着往地上一跪。『我和夏磊眞心相愛，我此生此世，跟定夏磊了！爹呵！請你幫助我們吧！答應我們，允許我們相愛吧！』

康秉謙死死盯着夢凡，再掉回眼光來，死死盯着夏磊。他逐漸明白過來，聲音沉重而愴惻：

『小磊，這就是你所做的，轟轟烈烈的大事嗎？』

夏磊的身子晃了一下，似乎挨了狠狠的一棍，臉色都慘白了。但他挺直了背脊，義無反顧的說：

『我知道我讓您傷透了心，我對不起您，對不起天白，對不起康家的每一個人！但是，我已經很努力的嘗試過了，我們千方百計的想要避開這個悲劇，我們避免見面，不敢談話，約定分手……但是，每掙扎一次，感情就更強烈一次！我們實在是無可奈何！乾爹，乾娘，發生的事就是發生了，我愛夢凡，早就超越了兄妹之情，我愛得辛苦而又痛苦！這麼久的日子以來，我一直徘徊在愛情與道義之間，優柔寡斷，害得夢凡也跟着受苦，現在，我無法再逃避了！一個男子漢大丈夫，該對自己的行爲負責任，雖然我違背了道義，畢竟對我自己是誠實的，我就是和夢凡相愛了！請你們不要完全否定我們，排斥我們……請你們試着瞭解，試着接納吧！』

康秉謙聞所未聞，見所未見，目瞪口呆的聽着夏磊這篇話。他終於聽懂了，終於弄明白這是事實了。他深深的抽了一口冷氣，忽然間大喝出聲：

『男子漢大丈夫！夏磊，是你在用這幾個字嗎？你怎敢如此褻瀆這個名詞！男子漢大丈夫不做虧心之事！男子漢大丈夫不奪人所愛！男子漢大丈夫要上不愧於天，下不怍於人！像你這樣偷偷摸摸，鬼鬼祟祟，糾纏夢凡，是非不分……你，居然還敢自稱「男子漢大丈夫」！你配嗎？配嗎？你這樣傷我的心，折辱我們康家的名譽，你對得起我？對得起你爹在天之靈嗎？……』

夏磊被康秉謙的義正辭嚴給打倒了，面容慘白，啞口無言。

『爹！』夢凡淒厲的大喊了一聲，膝行到康秉謙的面前，拉住康秉謙的衣襬，不顧一切的喊：『你不要逼夏磊！這不是他的錯！是我，是我！都是我的緣故！他根本不敢愛我，是我不放過他的！他一直躲避我，一直拒絕我，是我一再又一再去纏住他的！好幾次，他退開了，好幾次，他提議分手，他甚至留書要離開康家回東北了，是我哭着喊着把他苦苦留下來的！是我，是我這樣一次又一次的去纏着他的！爹！自從十二年前，你把他從東北帶來，那第一個晚上，我聽了他的故事，抱着我心愛的小熊去給他做伴，從那時起，就已經命中注定了！我心裡就再也沒有別人了！就只有他一個！十二年了，我就這樣追在他後面，糾纏了他十二年……』

康秉謙瞪着夢凡，氣得快暈倒了！這算什麼話！從未想到，一個女孩子竟說出這種話！他忍無可忍，舉起手來，他用力一巴掌揮了過去。夢凡跌倒於地，他仍然心有未甘，衝過來，提起脚就踹。怒聲大吼：

『妳這個寡廉鮮恥的東西！妳氣死我了！氣死我了！妳眞讓康家蒙羞！』

夏磊飛快的攔過去，代替夢凡挨了康秉謙一脚。跪下來，他和夢凡雙雙伏於地：

『乾爹啊！請您發發慈悲，有一點悲憫之情吧！您瞧，我們已經這樣一往情深了，割也割不開，分也分不開，您就網開一面……允許我們相愛吧！』

『不！不！絕不！』康秉謙痛極，抖着聲音喊：『我永遠也不會原諒你們！永遠也不會接納你們！你們這樣氣我，在我的眼睛底下欺騙我！夏磊！你讓我怎樣向楚家交代？你難道不知道，守信義，重然諾……我是這樣活過來的人，一生也不敢毀誓滅信！你……你……你這樣置我於不仁不義的境地……你……你……』他太氣了，氣得說不出話來了，跌跌撞撞的，他衝到窗邊，對着窗外的天空，用盡全身的力氣大喊了一句：『牧雲兄哪！』

夏磊震動已極，傷痛已極，伏在地上，動也不能動。

夢凡滿臉都是淚。全屋子的人，有的拭淚，有的害怕，有的憤怒，有的畏縮。夢華是一臉的憤憤不平，而心眉，觸景傷情，哭得已肝腸寸斷。

『來人啦！』康秉謙終於回復神志，對外喊着：『康福！康忠！胡嬤嬤！給我把夢凡拖回房去，關起來，鎖起來，從今以後，不許讓他們見面！來人哪！』

在門外侍立的康福康忠、胡嬤嬤，大家七手八脚全來拉夢凡，夢凡慘烈的哭喊着：

『爹……求求你……爹……我愛他呀！我這樣這樣的愛他呀……爹，不要關我！不要關我……爹……』

她一路哭喊着，卻身不由己的，被一路拖了出去。

28 囚

夢凡眞的被關進了臥房。詠晴、心眉、胡嬤嬤、銀妞、翠妞輪番上陣，說服的說服，看守的看守，就是不讓夢凡離開閨房一步。夢凡不斷的哭着求着解釋着，只有心眉，總是用淚汪汪的，心碎的眼光瞅着她，不說一句勸解的話。其他的人，好話，歹話，威脅，善誘……無所不用其極。兩天下來，夢凡不吃不喝不睡，哭得淚盡聲嘶，整個人瘦掉了一大圈，憔悴得已不成人形。

這兩天中，夏磊並沒有被囚。但是，整個康家，忽然變得沒有一個人跟他說話，連一向對他疼愛有加的胡嬤嬤，都板着臉離他十萬八千里。他被徹底的隔絕和冷凍了，這種隔絕，使他比囚禁還難過。他像一個被放逐於荒島的犯人，再也沒有親情、友情，更別說愛情了。夏磊從小習慣孤獨，但是絕不習慣寂寞，這種冷入骨髓的寂寞，使他整個人都陷入崩潰邊緣。兩天下來，他再也按捺不住自己，他衝進夢凡住的小院裡，試着要和夢凡連繫。胡嬤嬤、老李、康忠忙不迭把他往院外推，胡嬤嬤豎着眉毛，瞪大眼睛，義正辭嚴的說：

『你把夢凡小姐害成這樣子，你還不夠嗎？你一定要把她害死，你才滿意嗎？走走走！再也不要來招惹夢凡小姐！你給她留一條活路吧！』

『夢凡！夢凡！』他大喊：『妳怎樣了？告訴我妳怎樣了？夢凡！夢凡……』

夢凡一聽到夏磊的聲音，就瘋狂般的撲向窗子，撕掉窗紙，她對外張望，哭着嚷：

『夏磊！救我！救救我！我快死了！』房內的詠晴、銀妞、翠妞、心眉忙着把夢凡拖離窗口，夢凡尖聲嘶叫：『娘！娘！放我出去！我要見他！我要見他！』她又撲向門口，大力的拍着門：『放我出去！放我出去……』

康秉謙帶着康福來到小院裡，一見到這等情況，氣得快暈倒了。他當機立斷，大聲吩咐：

『康忠、康福、老李，你們去拿一把大鎖，再把柴房裡的木板拿來！她會撕窗紙，我今天就把整個窗子給釘死！詠晴、心眉、銀妞、翠妞……妳們都出來！不要再勸她，不要和她多費唇舌，我把門也釘死！讓她一個人在裡面自生自滅！』他對康忠等人一兇：『怎麼站着不動？快去拿木板和大鎖來！』

『是！』康忠等人領命，快步去了。

『詠晴！妳們出來！』康秉謙再大喊。

詠晴帶着心眉等人出了房門，康秉謙立即把房門帶緊，攔門而立。心眉流着淚喊了一聲：

『老爺子啊！你要三思呀！這樣下去，會要了夢凡的命！她那樣兒……眞會出人命呀！』

『是呀是呀！』詠晴抹着淚，一疊連聲的應着：『你讓我慢慢開導她呀，這樣子，她會活不成的……』

『我寧可讓她死！不能讓她淫蕩！』康秉謙厲聲說：『誰再多說一句，就一起關進去！』

夏磊看着這一切，只覺得奇寒徹骨，他心痛如絞，他大踏步衝上前去，激動的說：

『乾爹，你要釘門釘窗子？你不能這樣做！她是你的女兒，不是你的囚犯呀！』

『我不用你來告訴我，我該怎麼做！』康秉謙更怒：『這裡沒有你說話的餘地！』

康福康忠已抬着木板過來，老李拿來好大的一把大銅鎖。康秉謙抓起銅鎖，『咔嚓』一聲，把門鎖上了。

『爹！爹！娘！娘！』夢凡在房裡瘋狂般的喊叫。『不要鎖我！不要釘我！讓我出來……』她撲向窗子，把窗紙撕得更開，露出蒼白淒惶的臉孔：『夏磊，救我！』

『釘窗子！快！』康秉謙暴怒的：『她如此喪失理智，一絲悔意也沒有！快把窗子釘死！』

康福康忠無奈的互視，抬起木板，就要去釘窗子。

『乾爹！』夏磊飛快的攔在窗子前面，伸出雙手，分別抓緊了窗格，整個人貼在窗子上面。『好！』他慘烈的說：『你們釘吧！從我身上釘過去！今天，除非這釘子穿過我的身體，否則，休想釘到窗子！現在，你們釘吧！連我一起釘進去！釘吧！釘吧！』

康忠康福怔在那兒，不能動。

詠晴、心眉都哭了。銀妞、翠妞、胡嬤嬤也都跟着拭淚。康秉謙見到這種情況，心也碎了，灰了，傷痛極了。

『事到如今，我眞是後悔！』康秉謙瞪着夏磊說：『後悔當初，爲什麼要把你從東北帶回來？』

夏磊大大一震，激動的抬起頭來，直視著康秉謙。

『你終於說出口了！你後悔了！爲什麼要收養我？乾爹，這句話在我心中迴盪過千次萬次，只是我不忍心問出口！我也很想問你，爲什麼要收養我？爲什麼？』

康秉謙驚愕而震動。

『你為什麼不把我留在那原始森林裡，讓我自生自滅？』夏磊積壓已久的許多話，忽然倒水般從口中滾滾而出：『我遇到豺狼虎豹也好，我遇到風雪雨露也好，我忍受飢寒凍餒也好……總之，那是我的命啊！你偏偏要把我帶到北京來，讓我認識了夢凡，十二年來，朝夕相處，卻不許我去愛她！你給我受了最新的教育，卻又不許我有絲毫離經叛道的思想！你讓我這麼矛盾，你給我這麼多道義上的包袱，感情上的牽掛……是你啊，乾爹！是你把我放到這樣一個不仁不義，不上不下，不能生也不能死，不能愛也不能恨的地位！乾爹，你後悔，我更後悔呀！早知今日，我寧願在深山裡當一輩子的野人，吃一點山禽野味，也就滿足了！或者，我會遇到一個農婦村姑，也就幸幸福福過一生了！只要不遇到夢凡，我也不會奢求這樣的好女孩了！』他噓了一口氣，更強烈的說：『現在，乾爹，你看看！我已經遍體鱗傷，一無是處！連我深愛的女孩子，近在咫尺，我都無法救她！我這樣一個人，還有什麼存在的意義？你回答我！乾爹！你回答我！』

康秉謙被夏磊如此強烈的質問，逼得連退了兩步。

『是我錯了？』他錯愕的自問：『我不該收養你？』

夏磊衝上前去，忘形的抓住康秉謙的手腕。淚，流了下來。

『乾爹！你難道還不瞭解嗎？悲劇，喜劇，都在您一念之間呀！』

『在我一念之間？』

『成全我們吧！』夏磊痛喊着。

康秉謙怔着，所有的人都哭得唏哩嘩啦，夢凡在窗內早已泣不成聲。就在這激動的時刻，夢華領着天白、天藍，直奔這小院而來。

『爹，娘！天白來了！』夢華喊着：『他什麼什麼都知道了！』

大家全體呆住了。

29 談判

天白的到來，把所有僵持的局面，都推到了另一個新高點。康秉謙無法在天白面前，囚禁夢凡，只得開了鎖。夢凡狼狽而憔悴的走了出來，她逕直走向天白，含著淚，顫抖著，帶著哀懇，帶著求恕，她清晰的說：

『天白，對不起！我很遺憾，我不能和你成為夫妻！』

天白深深的看了夢凡一眼，再回頭緊緊的盯著夏磊。小院裡站了好多好多的人，竟沒有一個人開口說話，空氣裡是死般的寧靜。天白注視了夏磊很久很久以後，才抬頭掃視著康家衆人。

『康伯伯，康伯母，』他低沉的說：『我想，這是我、夏磊，和夢凡三個人之間的事，我們三個人自己去解決，不需要如此勞師動衆！』他看向夏磊和夢凡：『我們走！』

詠晴不安的跨前了一步，伸手想阻止。秉謙廢然的嘆了口長氣：

『我們已經無能爲力了！他們口口聲聲說，他們是自己的主人，我們做不了主了！那麼，就讓他們去面對自己的問題吧！』

天白、夏磊，和夢凡穿過了屋後的小樹林，來到童年結拜的曠野上。

曠野上，寒風瑟瑟，涼意逼人。當年結拜時擺香案的大石頭依然如舊，附近的每個丘陵，每塊岩石，都有童年的足跡。當日的無憂無慮，笑語喧嘩，依稀還在眼前，鬥蟋蟀，打陀螺，騎追風，爬望夫崖……種種種種，都如同昨日。但是，轉眼間，童年已逝，連歡笑和無憂無慮的歲月，也跟著一起消逝了。

三人不約而同的停止了脚步。然後，三人就彼此深刻的互視著。天白的目光，逐漸凝聚在夏磊的臉上。他深深的、痛楚的、陰鬱的凝視著夏磊。那眼光如此沉痛，如此感傷，如此落寞，又如此悲哀……使夏磊完全承受不住了。夏磊努力咬著嘴唇，想說話，就是不知道說什麼好。最後，還是天白先開了口：

『我一直很崇拜你，夏磊，你是我最知己的朋友，最信任的兄弟！如果有人要砍你一刀，我會毫不猶豫的挺身代你挨一刀！如果有人敢動你一根汗毛，我會和他拚命！我是這樣把你當偶像的！在你的面前，我簡直沒有秘密，連我對夢凡的感情，我也不忌諱的對你和盤托出！而你，卻這樣的欺騙我！』

夏磊注視著天白，啞口無言。

『不是的，天白！』夢凡忍不住上前了一步。『是我的錯！我控制不住自己，我破壞了約定，是我！是我！』

天白掃了夢凡一眼，眼光裡的悲憤，幾乎像一把無形的利刃，一下子就刺穿了她。她微張著嘴，喘著氣，不敢再說下去。

『夏磊！』天白往夏磊的面前緩緩走去：『頃刻之間，你讓我輸掉了生命中所有的熱愛！對朋友的信心，對愛情的執著，對生活的目標，對人生的看法，對前途、對理想、對友誼……全部瓦解！夏磊，你這樣一個頂天立地的男子漢，帶著我們去爭國家主權，告訴我們民族意識，你這麼雄赳赳、氣昂昂，大義凜然！讓我們這群小蘿蔔頭跟在你後面大喊口號，現在，救國的口號喊完了！你是不是準備對我喊戀愛自由的口號了？你是不是預備告訴我，管他朋友之妻、兄弟之妻，只要你夏磊高興，一概可以掠奪……』

天白已經逼近了夏磊的眼前，兩人相距不到一尺，天白的語氣，越來越強烈，越來越悲憤。夏磊面色慘白，嘴唇上毫無血色，眼底盛滿了歉疚、自責和慚愧。天白停住了脚步，雙手緊握著拳。

『回憶起來，你從小好鬥，』他繼續說：『每次你打架，我都在後面幫你搖旗吶喊，我却從不曾和你爭奪過什麼，因爲我處處都在讓你！你就是要我的腦袋，我大概也會二話不說，把我的腦袋雙手奉上！但是，現在你要的，竟是更勝於我腦袋的東西……不，不是你要的，是你已經搶去了……你怎麼如此心狠手辣！』

忽然間，天白就對著夏磊，一拳狠狠的捶了過去，這一拳又重又猛，猝然打在夏磊嘴角，夏磊全不設防，整個人踉蹌著後退，天白衝上前去，對著他胸口再一拳，又對著他下巴再一拳，夏磊不支，跌倒於地。夢凡尖叫著撲了過來：

『天白，不要動手，你今天就是打死他，他也不會還手，這不公平，這不公平……』

夢凡的尖叫，使天白霎時間妬火如狂。他用力推開了夢凡，從地上搬起一塊大石頭，想也不想的，就對著夏磊的頭猛砸了下去。

『夏磊！夏磊！夏——磊！』夢凡慘烈的尖叫聲，直透雲霄。

血從夏磊額上，泉湧而出，夏磊強睜著眼睛，想說什麼，却沒有吐出一個字，就暈死過去。

30 病中

整整一個星期，夏磊在生死線上掙扎。

康家幾乎已經天翻地覆，中醫、西醫請來無數。夏磊的房裡，一天二十四小時不斷人，包紮傷口、敷藥、打針、灌藥、冷敷、熱敷……幾乎能夠用的方法，全用到了。病急亂投醫。康秉謙自己精通醫理，康勤還經常開方治病，到了這種時候，他們的醫學常識全成了零。夏磊昏迷、嘔吐、發高燒、呻吟、說胡話……全家人圍著他，沒有一個人喚得醒他。這種生死關頭，大家再不避嫌，夢凡在床邊哀哀呼喚，夏磊依舊昏迷不醒。

這一個星期中，天白不曾回家，守在夏磊臥房外的迴廊裡，他坐在那兒像一個幽靈。天藍三番兩次來拖他，拉他，想把他勸回家去，他只是坐在那兒不肯移動。夢華懊惱於自己不能保密，才闖下如此大禍，除了忙著給夏磊請醫生以外，就忙著去楚家，解釋手足情深，要多留天白天藍住幾天。關於家中這等大事，他一個字也不敢透露。楚家兩老，早已習慣這一雙兒女住在康家，絲毫都沒有起疑。

第八天早上，夏磊的燒退了好多，呻吟漸止，不再滿床翻騰滾動，他沉沉入睡了。西醫再來診治，終於宣佈說，夏磊不會有生命危險了，只要好好調養，一定會康復。守在病床前的夢凡，乍然聽到這個好消息，喜悅得用手蒙住嘴，哭出聲來。整整一星期，她的心跟著夏磊掙扎在生死線上，跟著夏磊翻騰滾動。現在，夏磊終於脫離危險了！他會活！他會活！他不會死去！夢凡在狂喜之中，哭著衝出夏磊的臥房，她眞想找個無人的所在，痛痛快快的哭一場，哭盡這一個星期的悲痛與担憂。

她才衝進迴廊，就一眼看到佇候在那兒的天白。

天白看到夢凡哭著衝出來，頓時渾身通過了一陣寒戰，他驚跳起來，臉色慘白的說：

『他死了？是不是？他死了？』

『不不不！』夢凡邊哭邊說，抓住了天白的手，握著搖著：『他會好！醫生說，他會好起來！

他已經度過危險期……天白，他不會死了！他會好起來！』

『啊！』天白心上的沉沉大石，終於落地。他輕喊了一聲，頓時覺得渾身乏力。看到夢凡又是笑又是淚的臉，他自己的淚，就不禁流下。『謝天謝地！哦，謝天謝地！』他深抽口氣，扶著夢凡的肩，從肺腑深處，挖出幾句話來：『夢凡，對不起！我這樣喪失理智……害慘了夏磊……和妳，我眞是罪該萬死……』

『不不不！』夢凡急切的說：『該說對不起的人是我！是我不好，才造成這種局面！一切都是因我而起！你不要再責怪自己了，你再自責，我更無地自容了！』

天白痴痴的看著夢凡。

『現在，他會好起來，我也……知道該怎麼做了！』他心痛的凝視夢凡：『妳是——這麼深，這麼深的愛他，是嗎？』

夢凡一震，抬頭，苦惱的看著天白，無法說話。

『妳要我消失嗎？』他啞聲問，字字帶著血。『我想，要我停止愛妳，我已經做不到！因爲，從小，知道妳是我的媳婦，我就那麼偷偷的、悄悄的、深深的愛著妳了！我已經愛成「習慣」，無法更改了！但是，我可以消失，我可以離開北京，走到很遠很遠的地方去，讓你們再也見不到我……』

夢凡大驚失色，震動的喊：

『你不要嚇我！夏磊剛剛從鬼門關轉回來，你就說你要遠走……你世世代代，生於北京，長於北京，你要走到那裡去？你如果走了，你爹你娘會怎樣……你，你，你不可以這麼說，不可以這樣嚇我……你們兩個都忙著要消失，我看還是我消失算了！』

『好好好，我收回！我收回我說的每個字！』天白又驚又痛的嚷：『我不嚇妳！我再也不嚇妳！我保證，我絕不輕舉妄動……我不消失！不走！我留在這兒……等妳的決定，那怕要等十年、一百年，我等！……好嗎？好嗎？』

夢凡哭倒在天白肩上。

『我們怎麼會這樣？』她邊哭邊說：『我多麼希望，我們沒有長大！那時候，我們相愛，不會痛苦……』

天白痛楚的搖搖頭，情不自禁，伸手扶著夢凡的肩。

遠遠的，康秉謙和詠晴走往夏磊房去，看到這般情景，兩人都一怔。接著，彼此互視，眼中都綻放出意外的歡喜來。不敢驚動天白與夢凡，他們悄悄的走進夏磊房去了。

夏磊不知道自己沉睡了多久，也不知道自己身在何方，心在何處。只感到疼痛從腦袋上延伸到四肢百骸，每個毛孔都在燃燒，都在痛楚。終於，這燃燒的感覺消退了，他的神志，從悠悠晃晃的虛無裡，走回到自己的軀殼，他又有了意識，有了思想，有了模模糊糊的回憶。

他想動，手指都沒有力氣，他想說話，喉中卻喑啞無聲。他費力的撐開了眼皮，迷迷糊糊的看到室內一燈如豆。床邊，依稀是胡嬤嬤和銀妞，正忙著做什麼。一面悄聲的談著話。夏磊闔上眼，下意識的捕捉著那細碎的音浪。

『總算，天白少爺和夢凡小姐都肯去睡覺了……』

『眞弄不懂，怎麼會鬧得這麼嚴重！老爺太太也跟著受累，這磊少爺也眞是的……』

『……不過，好了！現在反而好了……』

『爲什麼？』

『……聽太太說，天白少爺和夢凡小姐，在迴廊裡一起哭……他們好像和好了，滿親熱的……』

『……怎麼說，都是磊少爺不應該……』

『是呀！這磊少爺，從小就毛毛躁躁，動不動就鬧出走……畢竟是外地來的孩子，沒一點兒安定……他能給夢凡小姐什麼呢？家沒個家，事業沒個事業……連根都不在北京……天白少爺就不同了，他和夢凡小姐，從小就是金童玉女呀……』

『噓！小聲點……』

『睡著了，沒醒呢！』

『……這天白少爺，也好可憐呀！守在門外面，七八天都沒睡……我們做下人的，看著也心疼……』

『……還好沒讓親家老爺、親家太太知道……』

『家醜不可外揚呀……』

『噓！好像醒了！』

胡嬤嬤仆過身子來，察看夏磊。夏磊轉了轉頭，微微呻吟了一聲，眼皮沉重的闔著，似乎沉沉睡去了。

第十天，夏磊是真正的清醒了，神志恢復，吃了一大碗小米粥，精神和體力都好了許多。這天，康勤提著藥包來看夏磊，見夏磊眼睛裡又有了光彩，他鬆了口氣。四顧無人，他語重心長的說：

『小磊，你和我，都該下定決心，做個了斷吧！』

『了斷！』夏磊喃喃的說：『要「了」就必須「結束」，要「斷」就必須「分手」！』

康勤悚然一驚，怔怔看著夏磊。

兩人深切的互視，都在對方眼中，看到難捨的傷痛。

於是，夏磊決定要和天白好好的，單獨的談一次了。摒除了所有的人，他們在夏磊病床前，做了一次最深刻，也最平靜的談話。

『天白，』夏磊凝視著天白，語氣眞摯而誠懇。『千言萬語都不要說了！我們之間的悲劇，只因爲我們愛上了同一個女人！這種故事都只有一個結局，所以，天白，我決定了，我退出！』

『你退出？』天白怔住了。

『是的！』他堅決的說：『我鄭重向你保證，從今以後，我會消失在你和夢凡之間！』

天白不敢置信的瞪著他。

『我終於從昏迷中醒過來了！也徹底覺悟了！只有我退出這一場戰爭，康楚兩家才能換來和平，我們兄弟之情，也才能永恒呀！』

『不不！』天白搖著頭。『這幾句話，是我預備好，要對你說的！你不能什麼都搶我的先，連我心裡的話，你都搶去了！』

『這不是你心裡的話，如果你眞說出口了，也是違心之論！你這人太坦率，一生都撒不了謊！』

『而你，你就可以撒謊了！』

『我不用撒慌，我承認愛夢凡！我只是把我深愛的女孩子，鄭重交給你了！我們姑且不論她應該屬於誰，就算我們都是平等地位，都有權利追求她吧！而今，我已體認出來，我們兩個，只有一個能給她幸福，那個人是你而不是我！』

『你怎有這樣的把握？』天白緊緊盯著夏磊：『我是一絲一毫信心都沒有！尤其這幾天，我已目睹夢凡爲你衣不解帶，我就算是瞎子、白痴，也該有自知之明，我在夢凡心裡，連一點地位都沒有啊！』

『是嗎？眞的嗎？一點地位都沒有嗎？』

天白困惑了，心弦激盪。是嗎？

『你到底想幹什麼？』他大聲問：『你不是極力爭取夢凡的嗎？怎麼突然退讓了起來？』

『大概被你狠狠一敲，終於敲醒了！』夏磊長嘆了一聲。『你想想看，夢凡是那樣脆弱、纖細、高貴、熱情的女孩子，需要一個溫存的男人，小心呵護。我，像那樣的男人嗎？我粗枝大葉，心浮氣躁……始終懷念著我童年的生活！我總覺得我應該生活在一群遊牧民族之間，而不能生活在這種畫棟雕樑裡！我想了又想，假若我真的和夢凡結合了，那可能是個不幸的開始！因為我和她，畢竟屬於兩個世界！天白，』他語氣堅定的：『謝謝你敲醒了我！』

『你幾乎說服了我！』天白深吸了口氣。『如果我對「愛」的認識，不像這幾天這樣深切，我就被你說服了！』

『愛，這個字太抽象了！我們誰也沒辦法把它從心中腦中抽出來，看看它到底是方的還是圓的？但是，有一點是肯定的，愛一直和我們的幻想結合在一起，我們的幻想又會把這個字過份的渲染和誇大，把它「美化」和「神化」了！』

『你的意思是說……』

『我的意思是說，夢凡現在不過是迷失在自己的幻想裡罷了！等她長大成熟，她會發現，我只是她生命中的一個「過客」而已！你也瞭解我的，我總有一天要走，去找尋我自己的世界，我不能被一個女孩子拴住終身！』

天白沉吟著，深深的看著夏磊。

『你向我保證，你說的都是眞心話嗎？』

『我保證！我這一生，從沒有像現在這樣淸醒過！』

『你不是爲了解開我們三個人的死結，故意這麼說的？』

『當然我要解開這個死結！我們三個，再也不能這樣你爭我奪的了！這樣發展下去，受傷害的，絕不止我們三個！所以，天白，這畢竟是我們兩個男人間該決定的事！』他忽然抬高了音量，重重的說：『你到底要夢凡，還是不要？如果你敢從心裡說一句你不要她，我就要了！』

天白大大一驚，衝口而出：

『如果我不是這樣強烈的要她，我也不會打破你的頭了！』

夏磊嘆了口大氣，眼中朦朧了起來。帶著壯士斷腕的悲壯，他唇邊浮起了一個微笑。

『那麼，天白，好好愛護夢凡！如果有一天，你待她不好，我會用十塊石頭，敲碎你的腦袋！』

和天白徹底談過之後，就輪到康秉謙了。

『乾爹，我終於想通了！我答應您！不害夢凡失節，不害天白失意，更不會讓您成爲毀約背誓的人！我發誓從今以後，和夢凡保持距離！』他正視著康秉謙，眞心眞意的，掏自肺腑的說：

『面對天白的痛苦後，我完全瓦解了！我覺得自己比一個劊子手還要殘酷，還要罪惡！我終於知道了，愛情誠然可貴，但是，親情、友情、恩情、手足之情更不能抹煞！愛情的背後，如果背負了太多的不仁不義，那麼，這份愛情，也變得不美了！』

康秉謙震動的注視著夏磊，好半晌，才啞聲問：

『我能信任你嗎？』

『我發誓，我用我爹娘在天之靈發誓……』

『不必如此！小磊，』康秉謙鄭重的說：『我相信你！我願意相信你今天說的每個字，並且告訴你，如果我有第二個女兒，我絕對願意把她嫁給你！』

夏磊落寞的一笑，蒼涼的說：

『謝謝你，乾爹！事到如今，我不知道你還會不會後悔收養了我？那天，我們彼此又吼又叫，都說了許多絕裂的話。現在，我一定要跟您說清楚，我永遠不後悔和您父子一場！對於這十幾年康家給我的一切，我永懷感恩之心！』

康秉謙眼中迅速充淚了。

『小磊啊！我們差一點失去了你！在你昏迷的那些日子裡，我才體會到你怎樣深刻的活在我心裡，你和我的親生兒子，實在沒有兩樣啊！十幾年來，我爲你付出的心血和感情，比夢華還要多呀！孩子啊，經過這一番生死的考驗，經過這一次的抉擇……你或者心存怨恨，即使沒有，你或者想離我而去……果眞如此，我一樣會痛徹心肺呀！』

『乾爹！』夏磊驚愕而痛楚的喊，這才明白，康秉謙對他的瞭解，實在是相當深厚的。『我答應你，我會努力，努力和夢凡保持距離，也努力留在你身邊，但是，萬一……』

『沒有但是！也沒有萬一！』康秉謙的手，重重的壓在夏磊肩上。『我就相信你了！』

和康秉謙談過之後，就該面對夢凡了。夢凡，夢凡啊！這名字將是他心頭永遠永遠的痛，將是他今生唯一唯一的愛。夢凡呵，怎麼說呢？怎樣對妳說，我又退縮了？

這天晚上，天白和天藍終於回家了。康秉謙正色對夢凡作了最嚴重的交代：

『這些日子，我放任妳在小磊房裡出出入入，只因爲小磊病情嚴重，我已無心來約束妳的行爲！現在小磊好了，天白也回家了，妳造成的災難總算度過了！從今天起，妳不許再往小磊房裡跑！一步也不許進去！』

『爹……』夢凡驚喊。

『詠晴！』康秉謙大聲說：『妳叫銀妞翠妞，給我看著她！心眉，胡嬤嬤，妳們也注意一點，不要再給他們兩個任何接近的機會，至於學校，當然不許再去了！我要重整門風！如果他們兩個再私相授受，我絕不寬恕！』

夢凡再度被幽禁了。

夜靜更深，夢凡病懨懨的看著胡嬤嬤、心眉、銀妞、翠妞。要看守她一個人，竟動員了四個人。防豺狼虎豹，也不過如此吧！四個人都守著她，誰去侍候夏磊呢？他正病弱，難道就沒人理他了嗎？

『胡嬤嬤，』她站起身來推胡嬤嬤，把她直往門外推去。『妳去照顧夏磊，看他要吃什麼，要喝什麼？傷口還疼不疼……妳去！妳去！』

『妳放心吧！他那個人，身子像鐵打的一樣，燒退了，睡幾覺，就沒事了！』胡嬤嬤說：『我奉命守著妳，只好守著妳！』

夢凡在室內兜著圈子，心浮氣躁。輪流看著四個人，她們一字排開，坐在房門口。四對眼睛全盯住了她。她走來走去，走去走來，無助的絞著手。心裡瘋狂的想著夏磊。夏磊啊夏磊，你和天白談了些什麼呢？你和爹又談了些什麼呢？爲什麼天白篤篤定定的去了？爲什麼爹娘又有了欣慰的表情呢？夏磊啊，你心裡想些什麼呢？當你昏迷的時候，你不斷不斷的叫著我的名字，現在你清醒了，就不再呼喚我了？還是……你的呼喚，深藏在心底呢？她抬眼看窗，窗外，寒星滿天。側耳傾聽，夜風穿過松林古槐，低低的嘆息著，每聲嘆息都是一聲呼喚：夢凡！

她突然停在四個人面前，雙膝一軟，跪倒在地。

『我求求妳們！讓我去見他一面！要聚要散，我要聽他親口說一句！我一定不多停留，只去問他一句話，妳們可以守在門口，等我問完了，妳們立刻帶我回房！求求妳們！我求求妳們！』

四個人大驚失色，都直跳了起來，紛紛伸手去扶夢凡。

『小姐！妳金枝玉葉的身子，怎麼可以跟我們下跪呢？』胡嬤嬤驚慌的。

『我不是金枝玉葉，』夢凡拚命搖頭：『我是妳們的囚犯呀！我已經快要發瘋了！我連見他一面的自由都被剝奪了，不如死了算了！』

『夢凡呀！』心眉攙著夢凡的胳膊，試著要拉她起來，不知怎的，心眉臉上全是淚。『妳的心情，我全瞭解呀！妳心裡有多痛，我也瞭解呀……』

『眉姨！眉姨！』夢凡立刻像抓住救星般，雙手緊握着心眉的手，仰起狂熱而渴求的面孔來：

『救救我！讓我去見他一面！如果他說散了，我也死了心了！我知道，我跟他走到這一步田地，已經是有夢難圓了……但是，好歹，我們得說說清楚，否則，眉姨，他那個人是死腦筋，他會走掉的！你們沒有人守着他，他會一走了之的……眉姨，求妳，讓我去見他一面，看看他好不好？聽一聽他心裡怎麼想……』她對心眉磕下頭去。『我給妳磕頭！』

心眉用力抹了一把淚，跺跺脚說：

『就這樣了！妳去見他一面！只許五分鐘，胡嬷嬷，妳拿著懷錶看時間……』

『眉姨娘！』胡嬷嬷驚喊。

『別說了！我做主就是了！』她看着夢凡：『起來吧！要去，就快去！』

夢凡飛快的跳了起來，飛快的擁抱了心眉一下，飛快的衝出門去。

心眉呆着，淚落如雨。胡嬷嬷等人怔了怔，才慌慌張張的跟着衝出門去。

於是，夢凡終於走進夏磊的房間，終於又面對夏磊了。五分鐘，她只有五分鐘！站在夏磊床前，她氣喘吁吁，臉頰因激動而泛紅，眼睛因渴盼而發光，她貪婪的注視著夏磊的臉，急促的說：

『夏磊，我好不容易，才能見你一面！』

夏磊整個人都僵直了。

『不！不！』他沙啞的說：『我累了！倦了！我不當陀螺了！』

一句話，已經透露了夏磊全部的心思。夢凡呆站在那兒，整顆心都被撕裂了。

『那麼，你告訴我，你要我怎麼做？我要你親口對我說，你說得出口，我就做得到！』

夏磊跳下床來，不看夢凡，他衝到五斗櫃前，開抽屜，翻東西，用背對着夢凡，聲音却鏗鏘有力：

『我要妳跟隨天白去！』

夢凡點點頭。

『這是你最後的決定了？』

『是！』夏磊轉過身子，手中拿着早已褪色的狗熊和陀螺，他衝到夢凡面前，把兩樣東西塞進她手裡。『我要把妳送給我的記憶完全還給妳！我要將它們完完全全的，從我生命中撤走了！』

夢凡呆呆的抱着小熊和陀螺。

『好！』她怔了片刻，咬牙說：『我會依你的意思去做！我收回它們，我追隨天白去！但是，你也必須依我一個條件！否則，我會纏着你直到天涯海角！』

『什麼條件?』

『你不能消失。你不能離去。做不成夫妻,讓我們做兄妹!能夠偶爾見到你,知道你好不好,也就……算了!』

好熟悉的話。是了,康勤說過,能同在一個屋簷下,彼此知道彼此,心照不宣,也是一種幸福吧!夏磊苦澀的想着,猶豫着。

『你依我嗎?』夢凡強烈的問:『你依我嗎?』

『妳跟天白去……我就依了妳!』

夢凡深深抽了口氣,走近夏磊。

『那麼,我們男女之情,就此盡了。以後要再單獨相見,恐怕也不容易了。夏磊,最後一次,你可願意在我額上,輕輕吻一下,讓我留一點點安慰呢?』

夏磊凝視着她。沒有男人能抗拒這樣的要求!沒有!絕沒有!他扶住夢凡的肩,感動莫名,心碎神傷。他輕輕的對她那梳着劉海的額頭,吻了下去。

突然間,一陣門響,康秉謙衝進室內,怒聲大吼:

『小磊!夢凡!你們這是做什麼?我就知道你的諾言不可靠,果然給我逮個正着!』

夏磊和夢凡立刻分開，蒼白着臉，抬頭看康秉謙。

『是誰讓他們見面的？』康秉謙大怒，指着屋外的四個女人：『妳們居然給他們把風？妳們！』

『老爺呀……』胡嬤嬤、銀妞、翠妞嚷著。『請開恩呀……』

『不關她們的事，是我！』心眉往前了一步。『是我做的主，我讓他們見面的！』

『妳？』康秉謙大驚。『妳好大的狗膽！』

『乾爹！』夏磊回過神來，急急的說：『事情不像你看到的那麼壞，我們……』

『不要叫我乾爹！』康秉謙斷然大喝：『你的允諾，全是騙人的！你這樣讓我失望……我從此，沒有你這個義子了！』

『爹！……』夢凡掉着淚喊：『我是來和他做個了斷……』

『妳無恥！』康秉謙打斷了夢凡：『妳這樣對男孩子投懷送抱，妳還要不要臉……』

心眉突然間忍無可忍了，再往前衝了一步，她脫口叫出：

『爲什麼要這樣嘛？有情人終成眷屬，不是很好嗎？』

滿屋子的人都驚呆了，全體回頭看心眉。

『妳說什麼?』康秉謙不相信的問。

『本來就是嘛!』心眉豁出去了。『爲什麼要拆散人家相愛的一對呢?他們男未婚,女未嫁,一切還來得及,讓他們相愛嘛!他們青梅竹馬,兩小無猜,現在這樣情投意合,也是人間佳話,爲什麼要這樣殘酷,硬是不許他們相愛呢……』

心眉的話沒說完,康秉謙所有的怒氣,都集中到心眉身上來了,他舉起手,一個耳光就摔在心眉臉上,痛罵着說:

『妳滾開!不要讓我再見到妳!』

心眉驚痛的抬頭,淚水瘋狂般的奪眶而出,用手搗着臉,她狼狽的,痛哭着跑走了。

夏磊頹然而退,感到什麼解釋的話,都不必說了。

31 康勤

如果夏磊不和夢凡私會，心眉就不會挨打，心眉不挨打，就不會積怨於心，難以自抑。那麼，隨後而來的許多事就不至於發生。人生，就有那麼多的事情，不是人力可以控制，也不是人力可以防範或挽回的。

心眉和康勤的事，終於在這天早晨爆發了。

對康秉謙來說，似乎所有的悲劇，都集中在這個冬天來發生。他那寧靜安詳的世界，先被夏磊和夢凡弄得天崩地裂，然後，又被心眉和康勤震得粉粉碎碎。

這天一大早，康秉謙就覺得耳熱心跳，有種極不祥的預感，他走出臥房，想去看看夏磊。才走到假山附近，就看到有兩個人影，閃到假山的後面去了！康秉謙大驚，以爲夢凡和夏磊又躲到假山後面來私會，他太生氣了，悄悄的掩近，他想，再捉到他們，他只有一個辦法，把夢凡即日嫁進楚家去。

才走近假山石，他就聽到石頭後面，傳來飲泣與哭訴的聲音，再傾耳細聽，竟是心眉！

『……康勤，你得救我！老爺這樣狠心的打我，他心中根本沒有我這個人！他現在變得又殘酷又不近人情了，我再也受不了了！我沒辦法再在康家待下去……康勤，我這人早就死了，是你讓我活過來的……現在，不敢去藥材行見你，我是每夜每夜哭著熬過來的……你不能見死不救呀……』

『心眉，』康勤的聲音裡充滿了痛楚和無奈：『小磊和夢凡是我們的鏡子啊！他們男未婚女未嫁，還弄成這步田地，妳和我，根本沒有絲毫的生路呀……』

康秉謙太震動了，再也無法穩定自己了，他脚步踉蹌的撲過去，正好看到心眉伏在康勤肩上流淚，康勤的手，摟着心眉的腰和背……他整個人像被一把利劍穿透，提了一口氣，他只說出兩個名字：

『心眉！康勤！』

說完，他雙腿一軟，就厥過去了。

康家是流年不利吧！詠晴、胡嬤嬤、銀妞、翠妞、夏磊、夢華、夢凡都忙成了一團，又是中醫西醫往家裡請，康忠、康福、老李忙不迭的接醫生，送醫生。由於康秉謙的暈倒延醫，弄得心眉和康勤的事，完全洩了底。大家悄悄的，私下的你言我語，把這件紅杏出牆的事越發渲染得不堪入耳，人盡皆知。

康秉謙是急怒攻心，才不支暈倒的，事實上，身體並無大碍。淸醒過來以後，手脚雖然虛弱，身子並不覺得怎樣。但，在他內心深處，却是徹骨的痛。思前想後，家醜不能外揚，傳出去，大家都沒面子。康秉謙眞沒料到，他還沒有從夢凡的打擊中恢復，就必須先面對心眉的打擊。這打擊不是一點點，而是又狠又重的。康勤，怎麼偏偏是康勤？他最鍾愛的家人，是忠僕，是親信，也是從小一塊兒長大，有如手足的朋友呀……怎麼偏偏是康勤？

經過了一番內心最沉痛的掙扎，康秉謙把康勤叫進了自己的臥室，關上房門，他定定的看著康勤。康勤立刻就情緒激動的跪下了。

『康勤，』康秉謙深吸了口氣，壓抑的問：『你原來姓什麼？』

『姓周。』

『很好。今天，出了我家大門以後，你恢復姓周，不再姓康！』

『老爺！』康勤震動的說：『你把我逐出康家了！』

『我再也不能留你了！』他凝視康勤：『雖然你曾經是我出生入死，共過患難，也共過榮華的家人，是我的親信，我的左右手，而現在，你卻逼得我要用刀砍去我的手臂！康勤，你眞教我痛之入骨呀！』

康勤含淚，愧疚已極。

『現在不是古時候，現在也不是滿清，現在是民國了！沒有皇帝大臣，沒有主子奴才，現在是「自由」的時代了！小磊夢華他們一天到晚在提醒我，甚至是「教育」我，想要我明白什麼是「自由」，什麼是「人權」……沒料到，我的第一件要面對的事，居然是康勤——你。』

『老爺，您的意思是……』康勤困惑而惶恐。

『你「自由」了！我既不能懲罰你，也不想報復你，更不知該如何處置你……我給你自由！從此，你不姓康，你和我們康家，再無絲毫瓜葛，至於康記藥材行，你從此也不用進去了！』

『老爺，你要我走？』康勤顫聲問。

『對！我要你走！走得遠遠的！這一生，不要讓我再見到你！離開北京城，能走多遠，就走多遠！你得答應我，今生今世，不得再踏入我們康家的大門！』

康勤愧疚、難過、傷痛，但卻承受了下來。

『是！老爺希望我走多遠，我就走多遠！今生今世，不敢再來冒犯老爺……只希望，我這一走，把所有的罪過汚點一起帶走！老爺……』他呑呑吐吐，礙口而痛楚的說：『至於……眉姨娘，您就……原諒了她吧！錯，是我一個人犯的，請您……高抬貴手，別爲難她……』

康秉謙用力一拍桌子，怒聲說：

『心眉是我的事！不勞你費心！』

『是！』康勤惶恐的應著。

『走吧！立刻走吧！』

康勤恭恭敬敬，對康秉謙磕了三個頭，流著淚說：

『老爺！您這份寬容，這份大度量！我康勤今生是辜負您了！我只有來生再報了！』

康秉謙掉頭去看窗子，眼中也充淚了。

『康勤，你我有緣相識了大半輩子，孰料竟不能扶攜終老，也算人間的殘酷吧！』

『老爺！康勤就此拜別！』康勤再磕了一個頭，站起身來，不敢再驚動康秉謙，他依依不捨的掉頭去了。

康勤當天就收拾了行李，離開了北京城。從東窗事發，到他遠走，只有短短兩天。他未曾和心眉再見到面，也不曾話別。

夏磊卻追出城去了，騎著追風，他在城外的草原上，追到了康勤。

『康勤，讓我送你一程吧！』

康勤震動的注視著夏磊。

夏磊跳下馬來，兩人一騎，走在蒼茫的曠野裡。

『康勤，』夏磊堆積著滿懷的愴惻、痛苦，還有滿懷的疑問、困惑。以及各種難描難繪的離情別緒。『你怎麼捨得就這樣走了?眉姨的未來，你也不管了?』

『不是不管，實在是管不著呵!』康勤悲愴的說。『心眉一直瞭解我的，她知道我是怎樣一個人，說眞的，我根本不配去談感情，我內心的犯罪感，早已把我壓得扁扁的。現在，我就算走到天涯海角，都逃不開我對老爺的歉疚!我想，終此一生，我都會抱著一顆待罪之心，去苟且偷生了!我這樣慚愧，這樣充滿犯罪感，怎麼可能顧全心眉……我注定是辜負她了!』

『我懂了!』夏磊出神的說：『你把「忠孝節義」和「眉姨」擺在一個天平上秤，「忠孝節義」的重量，絕對遠超過了「眉姨」!』

『我這種人，在康家，是個叛徒，在感情上，是個逃兵!我怎麼配談忠孝節義!』康勤激動的一抬頭。『小磊，臨別給你一句贈言：千萬不要重蹈我的覆轍!』

夏磊悚然而驚。

『我倒有個想法，爲斷個乾淨，爲一了百了，我不如現在就跟你一起走!』

『小磊!』康勤語重心長：『你別傻了!我必須走，是因爲我在康家已無立足之地，沒有人要原諒我，甚至，沒有人要接受我的贖罪。康家上上下下，會因爲我的離去，而平息一些怒氣，進而，或者會原諒了心眉！至於你，那是完全不一樣的！康家每一個人都愛你，老爺更視你爲己出，你只要壓下心中那份男女之情，你可以活得頂天立地。終究，我只是一名「家僕」，而你，是個「義子」呀！』

夏磊呆呆的看著康勤。

『不要再送了！』康勤含淚說：『小磊！珍重！』

夏磊忽然慌張起來：

『康勤，你走了，眉姨怎麼辦？她整顆心都在你身上，你走了，她的世界也沒有了，你要她怎麼活下去？』

康勤站定了，眼底閃著深刻的淒涼。

『不，你錯了。心眉的世界，一直在康家，她是因爲得不到康家任何人的重視和珍愛，才把感情轉移到我身上來的！現在，我走了，釜底抽薪。她失去了我，會把出軌的心，拉回到軌道上來。只要老爺原諒她，康家上上下下不責怪她……這康家的圍牆裡，仍然是她最安全的世界！她本來就是個安分守己的女人！她會回到自己的天地裡去！』

夏磊怔著。

『你想過的！』他喃喃的說：『你都想過了！』

『想過千千萬萬次了！』康勤嘆了口氣，眼神悲苦。『可是，小磊，我還是幾萬個放心不下呀！我……我……我可不可以拜託你……』

『你說吧！』

『你有時間，常去開導一下心眉，讓她……像接受夢恒的死一樣，接受了這個事實……』

夏磊用力點了點頭。

『你要到哪裡去呢？』

『我往南邊走，越遠越好。此後，四海爲家，自己也不知道會去哪裡！』

『你安定了，要寫信來！』

『不用了吧！』康勤用力一甩頭。『既然要斷，不妨斷得乾淨！說不定，以後會青燈古佛，了此殘生！跳越出人世的愛恨情仇，才能走進另一番境界裡去吧！再見了！小磊！不要再送了！』

夏磊呆呆的站著，看著康勤背著行囊的身影，越走越遠，越走越遠，逐漸成爲大草原上的一個小黑點。他忽然強烈的體會到，康勤說的，就是事實了。他會走到一個遙遠遙遠的地方去，從此青燈古佛，用他漫長的後半生，去懺悔他的罪孽。他就是這樣了。

夏磊眼中濕濕的，心中，是無比的酸澀和痛楚。康勤的影子，已遠遠的貼在天邊，幾乎看不見了。

32 心眉

康勤走了。心眉整個人像掉進冰湖裡，湖中又冷又黑，四顧茫然，冰冷的水淹著她，窒息著她。她伸手抓著，希望能抓到一塊浮木。但是，抓來抓去，全是尖利如刀、奇寒徹骨的碎冰。稍一掙扎，這些碎冰就把她割裂得體無完膚。

『什麼眉姨娘，簡直是霉姨娘呵，倒霉的霉！』銀妞說著：『這下子，可把我們老爺的臉給丟盡了！』

『眞是羞死人了！』翠妞說著：『別說老爺太太，少爺小姐，就連我們這些做丫頭的，都覺得羞死了！』

『唉唉唉！』胡嬤嬤連聲嘆氣：『她是康家的二太太呀！怎能這樣沒操守呢！她就算不為老爺守，也該為她那死去的兒子夢恒少爺，積點陰德呀……』

『是呀，人家望夫崖上的女人，寧願變成石頭，也不失節的……』

心眉是逃不掉的！康家的大大小小，已經為她判了無期徒刑。她無論走到那兒，都可以聽到最最不堪的批判。她已經被定罪了，她是『淫蕩』『無恥』『下流』『卑鄙』……的總合。這些罪名，在夢凡的事件裡，大家都不忍用在夢凡身上，但是，却毫不吝嗇，毫不保留的用在心眉身上了。

心眉被孤立了，四面楚歌。在茫然無助中，她去找夢凡，但是，夢凡房裡，正好有天藍來玩。

『夢凡！』天藍正咄咄逼人的說：『妳不要再幫眉姨辯護了！不忠實就是不忠實！水性楊花就是水性楊花，說什麼都沒有用！妳家眉姨娘，生活在這樣的詩書之家，即使有些寂寞，也該忍受！我們女人，什麼是「好」，什麼是「壞」，不就看在自我操守上嗎？眉姨娘這樣的女人，留在家裡，是永遠的「禍害」！』

心眉不敢去找夢凡了，她逃跑了。逃到迴廊的轉角處，聽到康福在對康忠說：

『其實，康勤是個老實人哪！壞就壞在一個眉姨娘，天下的男人，幾個受得了女人的勾引呢？』

『說得是啊！這康勤，被老爺逐出北京，以後日子怎麼過呢？眞是一失足成千古恨哪……』

心眉趕緊回身，反方向逃去，淚眼昏花，腳步蹌踉，一頭就撞在詠晴身上。

『心眉！妳這是怎的？』詠晴一臉正氣。『老爺病著，妳別讓他看到妳這股失魂落魄的樣子！如果心裡不舒服，要害什麼相思病的話，也關到妳自己的房裡去害，別在花園裡跑來跑去，給大家看笑話……』

心眉衝進了自己的房裡，關起房門，又關起窗子，渾身顫抖著，身子搖搖晃晃，額上冷汗涔涔。

沒有人會原諒她的！沒有人會忘記她所犯的罪！關緊房門，她關不住四面八方湧來的指責；她淫蕩！她無恥！她玷汚了康家！她害慘了康勤！所有的罪惡，她必須一肩挑，她卻感到，自己那弱不禁風的肩膀，已經壓碎了。

夏磊來找她了，急促的敲開了門，夏磊帶著一臉的瞭解與關懷，迫切的說：

『眉姨，妳要忍耐啊！妳要勇敢啊！這個家庭的道德觀念，就是這樣牢不可破的！但是，大家的心都是好的，都是熱的……妳要慢慢度過這一段時間，等到大家淡忘了，等到妳重新建立威信了，大家又會回過頭來尊重妳的！』

『不會的！不會的！』她痛哭了起來。『沒有人會原諒我的！他們全體判了我的死刑，你一言、我一語，他們說的話像一把利劍，他們就預備這樣殺死我！我現在眞是生不如死呀！大概只有我跳下望夫崖，大家才會甘心吧！』

『眉姨，妳不要說傻話！』夏磊急切的說：『乾爹，乾爹他會原諒妳的！只要乾爹原諒妳了，別人也就原諒妳了！妳的世界，是康家呀！妳要在康家生存下去，只有去求乾爹的原諒！去吧！去求吧！乾爹的心那麼柔軟……他會原諒妳的……』

心眉心中一動，會嗎？康秉謙會原諒她嗎？

晚上，心眉捧著一碗蓮子湯，來到康秉謙的臥室門口，猶疑心顫，半晌，終於鼓足勇氣，敲了敲房門。

詠晴打開房門，懷疑的看著她。

『我……我……我來，』心眉礙口的、羞慚的、求恕的說：『給……老爺送碗蓮子湯……』

詠晴讓到一邊去，走到窗邊，冷眼看康秉謙做何決定。

心眉顫巍巍，捧著蓮子湯來到康秉謙床前。

『老爺！我……我……』她哀懇的看着康秉謙，眼裡全是淚：『給您……熬了蓮子湯……您趁熱喝……』

康秉謙注視著心眉，接觸到的，是心眉愧悔而求恕的眸子，那麼哀苦，那麼害怕。淚，從她眼角滑下，她雙手捧著碗，不敢稍動，也不敢拭淚。康秉謙的心動了動，這個女人，畢竟和他同衾共枕，也曾有過兒子的女人哪！他吸口氣，伸出手去，想接過碗來。

但是，剎那間，他眼前又浮起假山後面的一幕，心眉伏在康勤肩上哭訴：

『康勤，你得救我……我這人早就死了，是你讓我活過來的……』

他接碗的手一顫，變成用力一揮。湯碗『哐啷』一聲砸得粉碎，滾熱的湯湯水水，濺了心眉一手一身，燙碎了她最後的希望。

『妳這個下賤的女人，給我滾！滾到我永遠看不到的地方去……』

心眉奪門而逃。奔出了康秉謙的臥室，奔入迴廊，奔過花園，穿過水榭，奔到後門，打開後門，奔入小樹林，奔過曠野，奔過岩石區……望夫崖正聳立在黑夜裡。

『眉姨！』心眉奔走的身影，驚動了憑窗而立的夏磊。『眉姨，妳去那裡？』他跳起來，打開房門，拔脚就追。『眉姨！回來……眉姨……』

心眉爬上了望夫崖，站在那兒，像一具幽靈似的。

夏磊狂奔而來，抬頭一看，魂飛魄散。

『眉姨！』他大喊著，瘋狂般的喊著。『不可以！不可以！妳等等我！我有話跟妳說……康勤交代了一些話要告訴妳……』

夏磊一邊喊，一邊手脚並用的爬望夫崖。

心眉飄忽的，淒然的一笑。對著崖下，縱身一躍。

夏磊已爬上了岩，駭然的伸手一抓，狂喊著：

『眉姨……』

他抓住了心眉裙裾一角，衣服撕開了，心眉的身子，像個斷線的紙鳶般向下面飄墜而去。他手中只握住一片撕碎的衣角。

『眉姨！』夏磊慘烈的顫聲大喊，倒在岩石邊上，往下看。『眉……姨……』

心眉墜落於地，四肢癱著，像個破碎的玩偶。

33 夏磊

心眉死了。

心眉的死，震碎了夏磊的神志。他分不清自己的情緒是怎樣的，也無力去把自己那破碎的感覺，再拼湊整理起來。他覺得徹底的失敗了，輸了！從五四以來，那燃燒著他整個人生的新思潮，到此作爲一個總結。死亡，把所有的愛恨情仇，全體帶走了。夏磊這一生，面對過兩次死亡，一次是父親夏牧雲，一次是眉姨。奇怪的是，這兩人都選擇了自己結束生命，都結束得如此慘烈。中國人是怎樣的民族？有人『視死如歸』，有人『壯烈成仁』，有人『以死明志』，有人『一死了之』。人，不是因有生命才有一切嗎？放棄的時候，竟也如此這般的容易！生命本身，原來是這麼脆弱，這麼不堪一擊的。

夏磊不能深思，不能分析，他失去所有思考的能力了。

心眉死後第三天，就草草的下葬了。秉謙臥病在床，已無力再來承擔心眉的死。夢華在一夜間就成熟了，他挺身而出，堅決果斷的料理了後事，所有親戚朋友，一概沒有通知，連親如天白天藍，都不曾來過。心眉雖然也葬進了康家墓園，卻遠在祖墳外圍，一塊荒僻的角落裡。夏磊目睹那口薄棺，在淒風苦雨中，淒淒涼涼的入了土。他想，眉姨不會在意了，她連生命都不要了，怎會在意葬在何處？入土的，不過是一具『臭皮囊』而已。可是，人的靈魂與精神力量，是不是也跟著生命一起消失，還是徘徊在這虛空之中呢？

夢凡悄悄的在心眉房中，立了一個靈位，燃上兩支素燭。她手持香束，站在心眉靈位前，焚香禱告：

『眉姨，妳安息吧！在妳活著的歲月裡，妳沒有享受到快樂幸福，終於妳選擇了死亡！或者，也只有死亡這個歸宿，妳才能得到眞正的平安和寧靜吧！眉姨，妳的一生，欲追求自由，而自由不可得！欲追求尊嚴，而尊嚴不可得！欲追求愛情，而愛情也不可得！然而今天，妳用無價的生命，換得了一切！或者，這也是妳的智慧吧！因爲妳知道，唯有一死，妳的魂魄才得以解開拘束，掙脫牢籠！也或者，此時此刻，妳的魂魄正超越於塵土之上，遨遊於太虛之中，笑看著世人的庸俗和愚昧呢！』

夏磊站在門邊，聽著夢凡那誠摯低迴的聲音，夢凡，她是這麼冰雪聰明，這麼靈巧智慧，才能說出這樣一篇話！他看著心眉的靈位，看著那繚繞的青煙，再看夢凡那超凡絕俗的美麗……他心中猛的抽緊，腦海裡竟跳出紅樓夢葬花詞中的兩句：『儂今葬花人笑痴，他年葬儂知是誰？』他被這種思想震駭了。夢凡，夢凡！今天是誰殺了眉姨？這隻殺眉姨的手，會不會再來殺妳？

『夏磊！』夢凡拿著一束香，走過來遞給他，『你也給眉姨上一束香吧！』

他一把推開了夢凡的手。

『眉姨，她什麼都不要了，她還要我們的香嗎？燒香，是超度死者呢？還是生者自求心安呢？我不燒！燒香也燒不掉我的自責，和我的犯罪感，如果沒有我鼓吹什麼自由人權，眉姨，說不定仍然活得好好的！』

『夏磊，你不能這樣！』夢凡急切的說：『眉姨本身就是一個悲劇，現在，死者已矣，你不要把自己再陷進這悲劇裡去！你不能自責，不能有犯罪感！你一定要超脫出來！』

『我超脫不出來了！我太後悔了！我徹底的絕望了，幻滅了！』夏磊推開夢凡，急奔而去。

夏磊逕直奔到天白家門口，見著天白，他就一把抓住了天白胸前的衣襟。

『天白，』他急促的說：『你要鄭重回答我一個問題：從今以後，夢凡是你的事了！是不是？』

『夢凡？』天白怔了怔，眉頭一皺，吸口氣說：『她一直就是我的事，不是嗎？』

『說得好！』夏磊放開了他，重重的一甩頭。『從此以後，她的喜怒哀樂，都是你的事！她如果變雲、變煙、變石頭，也是你的雲、你的煙、你的石頭！你記住了！你記牢了！你給我負責她的安危，保障她一生風平浪靜！千萬不要讓她成爲眉姨第二！』

夏磊說完，掉頭就走。天白震撼的往前一跨，心中已有所覺，他喊了一句：

『夏磊！』

『珍重！』夏磊答了兩個字，人，已經飛快的消失在街道轉角處了。

夏磊就此失蹤，再也沒有回過康家。在他的書桌上，他留下了四句話：

『生死苦匆匆，無物比情濃，天涯從此去，萬念已成空！』

夢凡衝進了小樹林，衝進曠野，爬上望夫崖，她對著四周的山巒，用盡全身的力氣，狂喊：

『夏磊！你——回——來！』

她的聲音，淒厲的擴散出去，山谷響應，帶來綿綿不絕的回音：

『夏——磊——你——回——來——回——來——回——來……』

但是，她的呼喚，也沒有用了。她再也喚不回夏磊，他就這樣去了。把所有的情與愛，一起割捨，義無反顧的去了。

34 大理

一年以後。

遠在雲南的邊陲，有個小小的城市名叫『大理』。大理在久遠以前，自成國度，因地處高原，四季如春，有『妙香古國』之稱。而今，大理聚居的民族，喜歡白色，穿白衣服，建築都用白色，自稱為『白子』，漢人稱他們為『勒墨』人——也就是白族人。在那個時代，白族人是非常單純、原始，而迷信的民族。

這是一個黃昏。

在大理市一幢很典型的白族建築裡，天井中圍滿了人。勒墨族的族長和他的妻子，正在為他們那十歲大的兒子刀娃『喊魂魄』。『喊魂魄』是白族最普遍的治病方法，主治的不是醫生，而是『賽波』。『賽波』是白族話，翻為漢語，應該是『巫師』或『法師』。

這時，刀娃昏迷不醒的躺在一張木板床上，刀娃那十八歲的姐姐塞薇站在床邊，族長夫婦和衆親友全圍着刀娃。賽波手裡高舉着一隻紅色的公鷄，身邊跟隨了兩排白族人，手裡也都抱着紅公鷄。站在一面大白牆前面，這面白牆稱為『照壁』。賽波開始作法，舉起大紅公鷄，面向東方，他大聲喊：

『東方神在不在？』

衆白族人也高舉公鷄，面向東方，大聲應着：

『在哦！在哦！在哦！』

賽波急忙拍打手中的公鷄，鷄聲『咯咯』，如在應答。跟隨的白族人也忙着拍打公鷄，鷄啼聲此起彼落，好不熱鬧。賽波再把公鷄舉向西方，大聲喊：

『西方神在不在？』

『在哦！在哦！在哦！』衆白族人應着。

賽波又忙着拍打公鷄，跟隨的人也如法炮製。然後，開始找南方神，找完南方神，就輪到北方神。等到東南西北都喊遍了。賽波走到床邊，一看，刀娃昏迷如舊，一點兒起色都沒有。他又奔回『大照壁』前面，重複再喊第二遍，聲音更加雄厚。跟隨的白族人大聲呼應，聲勢非常壯觀。

不管賽波多麼賣力的在喊，刀娃躺在木板床上，輾轉呻吟，臉色蒼白而痛苦。塞薇站在床邊，眼看弟弟的病勢不輕，對賽波的法術，實在有些懷疑，忍不住對父母說：

『爹、娘！說是第七天可以把刀娃的魂魄喊回來，可是，今天已經是第八天了，再喊不回來，怎麼辦呢？』

塞薇的母親嚇壞了，哭喪着臉說：

『只有繼續喊呀！刀娃這回病得嚴重，我想，附在他身上的鬼一定是個陰謀鬼！』

『妳不要急！』族長很有信心的說：『賽波很靈的，他一定可以救回刀娃！』

『可是，喊來喊去都是這樣呀！』塞薇着急的說：『刀娃好像一天比一天嚴重了！我們除了喊魂魄，還有沒有別的辦法來治他呢……或者，我們求求別的神好不好呢？』

『噓！』一片噓聲，阻止塞薇的胡言亂語，以免得罪了神靈。賽波高舉公鷄，喊得更加賣力。

塞薇無可奈何，心裡一急，不禁双手合十，走到大門口，面對落日的方向，虔誠禱告：

『無所不在的本主神啊，您顯顯靈，發發慈悲，趕緊救救刀娃吧！千萬不要讓刀娃死去啊！』

我們好愛他，不能失去他！神通廣大的本主神啊！求求您快快顯靈啊……』

塞薇忽然住了口，呆呆的看着前方，前面，是一條巷道，正對着西方。又圓又大的落日，在西天的蒼山間緩緩沉落。巷道的盡頭，此時，正有個陌生的高大的男子，騎着一匹駿馬，踢躂踢躂走近。在落日的襯托下，這個人像是從太陽中走了出來，渾身都沐浴在金色的陽光裡。

塞薇眼睛一亮，定定的看着這人騎馬而至。這人，正是流浪了整整一年的夏磊。去過東北老家，去過大江南北，去過黃土高原，終於來到雲南的大理。夏磊僕僕風塵，已經走遍整個中國，還沒有找到他可以『停駐』的地方。

夏磊策馬徐行，忽然被這一片呼喊之聲吸引住了。他停下馬，看了看，忍不住跳下馬來，在門外的樹上，繫住了馬。他走過來，正好看到賽波拿着公鷄，按在刀娃的胸口，大聲的問着：

『刀娃的魂魄回來了沒有？』

衆白族人齊聲大喊：

『回來了！回來了！』

夏磊定睛看着刀娃，不禁吃了一驚，這孩子嘴唇發黑，四肢腫脹，看來是中了什麼東西的毒，可能小命不保。這群人居然拿着紅公鷄，在給孩子喊魂！使命感和憤怒同時在他胸中迸發，他一衝上前，氣勢逼人的大喊了一句：

『可以了！不要再喊了！太荒謬了！你們再喊下去，耽誤了醫治，只怕這孩子就沒命了！』

賽波呆住了。衆白族人也呆住了。族長夫婦抬頭看着夏磊，不知道來的是何方神聖，一時間，大家都靜悄悄，被夏磊的氣勢震懾住了。

夏磊顧不得大家驚怔的眼光，他急急忙忙上前，彎腰去檢查刀娃。一年以來，他已經充分發揮了自己對醫學的常識，常常爲路人開方治病。自己的行囊中，隨身都帶着藥材藥草。他把刀娃翻來覆去，仔細察看，忽然間，大發現般的抬起頭來：

『在這裡！在脚踝上！你們看，有個小圓點，這就是傷口！看來，是毒蠍子螫到了！難道你們都沒發現嗎？這脚踝都腫了！幸好是蠍子，如果是百步蛇，早就沒命了！』

族長夫婦目瞪口呆。賽波清醒過來，不禁大怒。

『你是誰？不要管我們的事！』

『賽波！』塞薇忍不住喊：『讓他看看也沒關係呀！眞的，刀娃是被咬到了！』

『不是咬，是螫的！』夏磊扶住刀娃的脚踝，強而有力的命令着。『快！給我找一盞油燈，一把小刀來！我的行李裡面有松膠！快！誰去把我的行李拿來！在馬背上面！快！我們要分秒必手！』

『是！』塞薇清脆的應着，轉身就奔去拿行李。

夏磊七手八脚，從行李中翻出了藥材。

『病到這個地步，只怕松膠薰不出體內的餘毒，這裡是金銀花和甘草，趕快去煎來給他內服！快！』

族長的妻子，像接聖旨般，迅速的接過了藥材。族長趕快去找油燈和刀子。賽波抱着紅公鷄發楞，衆白族人也拎着公鷄，不知如何是好。但是，人人都感應到了夏磊身上那不平凡的『力量』，大家震懾着，期待着。夏磊一把抱起了刀娃。

『我們去房間裡治病，在這天井裡，風吹日曬，豈不是沒病也弄出病來？』

那一夜，夏磊守着刀娃，又灌藥，又薰傷口，整整弄了一夜。天快亮的時候，夏磊看傷口腫脹未消，只得用燈火燒烤了小刀，在傷口上重重一劃，用嘴迅速吸去污血。刀娃這樣一痛，整個人都彈了起來，大叫着說：

『痛死我了！哎喲，痛死我了！』

滿屋子的人面面相覷，接着，就喜悅的彼此拍打，又吼又叫又笑又跳的嚷：

『活過來了！活過來了！會說話了！』

是的，刀娃活過來了。睜開黑白分明的大眼睛，他看着室內衆人，奇怪的問：

『爹，娘，你們大家圍繞着我幹什麼？這個人是誰？爲什麼對着我的脚又吸氣又吹氣？』

夏磊笑了。

『小傢伙！你活了！』他快樂的說，眞好！能把一條生命從死亡的手裡奪回來，眞好！他衝着刀娃直笑。『吸氣，是去你的毒，吹氣，是爲你止痛！』

『啊哈！』族長大聲狂叫，一路喊了出去。『刀娃活了！刀娃活了！』

塞薇眩惑的看着夏磊，走上前去，她崇拜的仰着頭，十分尊敬的說：

『我看到你從太陽裡走出來！我知道了！你就是本主神！那時我正在求本主神顯靈，你就這樣出現了！謝謝你！本主神！』

塞薇虔誠的跪伏於地。

塞薇身後，一大群的白族人全高喊着，紛紛拜伏於地。

『原來是本主神！』

夏磊大驚失色，手忙脚亂的去拉塞薇。

『喂喂！我不是本主神！我是個漢人，我叫夏磊！不許叫我本主神！什麼是本主神，我都弄不清楚！』

但是，一路的白族人，都興奮的嚷到街上去了：

『本主神顯靈了！本主神救活了刀娃！本主神來了！他從太陽裡走出來了……』

夏磊追到門口，張着嘴要解釋，但是，圍在外面的衆白族人，包括賽波在內，都抱着公鷄跪倒於地：

『謝謝本主神！』大家衆口一辭的吼着。

夏磊愕然呆住，完全不知所措了。

刀娃第二天就神清氣爽，精神百倍了。族長一家太高興了，爲表示他們的歡欣，塞薇帶着一群白族少女，向夏磊高歌歡舞着『板凳舞』，接着又把夏磊拖入天井，衆白族人圍繞着他大唱『迎客調』。夏磊走遍了整個中國，從來沒有遇到一個民族，像白族人這樣浪漫、熱情，會用歌舞來表達他們所有的感情，既不保留，也不做作。他們的舞蹈極有韻律，帶着原始的奔放，他們的樂器是嗩吶、號角、和羊皮鼓。

板凳舞是一手拿竹竿，一手拿着小板凳，用竹竿敲擊着板凳，越敲越響，越舞越熱，嗩吶聲響亮的配合着，悠揚動聽。歌詞是這樣的：

『一盞明燈掛高台，
鳳凰飛去又飛來，
鳳凰飛去多連累，
桂花好看路遠來！
一根板凳四條邊，
双手抬到火龍邊，
有心有意坐板凳，
無心無意蹲火邊！
客人來自山那邊，
主人忙忙抬板凳，

有心有意坐板凳呀，
無心無意蹲火邊！』

唱到後面，大家就把夏磊團團圍住，天井中起了一個火堆，所有敲碎了的竹片都丟進了火堆裡去燒，熊熊的火映着一張張歡笑的臉。夏磊被簇擁着，按進板凳裡，表示客人願意留下來了。衆白族人歡聲雷動，羊皮鼓就『咚咚，咚咚，咚咚咚……』的敲擊起來了。隨着鼓聲一起，號角嗩吶齊鳴，一群白族青年躍進場中，用雄渾的男音，和少女們有唱有答的歌舞起來：

『大河漲水小河渾，
不知小河有多深？
丟個石頭試深淺，
唱首山歌試郎心！
高崖脚下桂花開，
山對山來崖對崖，

妹是桂花香千里，

郎是蜜蜂萬里來！』

鼓樂之聲越來越熱烈，舞蹈者的動作也越來越快，歌聲更是響徹了雲霄：

『草地相連水相交，依嗨喲！

今晚相逢非陌生，依呀個依嗨喲！

郎是細雨從天降，依喲！

妹是清風就地生噢，依嗨喲！

結交要學長流水，依呀個依嗨喲！

莫學露珠一早晨，

你我如同板栗樹，依喲！

風吹雨打不動根噢，依嗨喲！』

鼓聲狂敲，白族人歡舞不停，場面如此熱烈，如此壯觀。夏磊迷惑了。覺得自己整個被這音樂和舞蹈給『鼓舞』了起來，這才明白『鼓舞』二字的意義。他目不暇給的看着那些白族人，感染了這一片騰歡。他笑了。好像從什麼魔咒中被釋放了，他回到自然，回到原始……身不由己的，他加入了那些白族青年，舞着，跳着，整個人奔放起來，融於歌舞，他似乎在一刹那間，找尋到了那個迷失的眞我。他跟着大家唱起來了：

『依嗨喲嗨依依嗨喲！
你我如同那板栗樹，依喲，
風吹雨打不動根嘆，依嗨喲……』

35 塞薇

夏磊就這樣在大理住下來了。

塞薇用無限的喜悅，無盡的崇拜，跟隨著夏磊，不厭其煩的向夏磊解釋白族人的習慣、風俗、迷信、建築……並且不厭其煩的教夏磊唱『調子』。因爲，白族人的母語是歌，而不是語言。他們無時無地不歌，收穫要歌，節慶要歌，交朋友要歌，戀愛要歌……他們把這些歌稱爲『調子』，不同的場合唱不同的『調子』，他們的孩子從童年起，父母就教他們唱調子。整個白族，有一千多種不同的調子。塞薇笑嘻嘻的告訴夏磊：

『我們白族人有一句俗語說：「一日不唱西山調，生活顯得沒味道！」』

『要命！』夏磊驚嘆著：『你們連俗語都是押韻的！我從沒有碰到過如此詩意，又如此原始的民族！你們活得那麼單純，却那麼快樂！以歌交談，以舞相聚，簡直太浪漫了！要命！我太喜歡這個民族了！我太喜歡這個地方了！』

『你是我們的本主神，當然會喜歡我們的！』

夏磊臉色一正。

『我已經跟妳說了幾千幾萬次了，我不是本主神！』

『沒關係，沒關係！』塞薇仍然一臉的笑。『我們所崇拜的本主神，本來就沒有固定的形象，而且是「人神合一」的！你說你不是本主神，我們還是會把你當成本主神來崇拜的！』

他瞪著塞薇，簡直拿她沒辦法。

塞薇今年剛滿十八歲，是大理出名的小美女，是許多小伙子追求的對象。她眉目分明，五官秀麗，身材圓潤，舉止輕盈。再加上，她有極好的歌喉，每次唱調子，都唱得人心悅誠服。她是熱情的，單純的，快樂的……完全沒有人工雕鑿的痕跡。她沒唸過什麼書，對『字』幾乎不認識，却能隨機應變的押韻唱歌。她是聰明的，機智的，原始的，而且是浪漫的。夏磊常常會情不自禁的拿她和夢凡相比較……夢凡輕靈飄逸，像一片潔白無瑕的白雲，塞薇却原始自然，像一朵盛放的芙蓉。夢凡，夢凡。夏磊心中，仍然念念不忘這個名字。夢凡現在已經嫁給天白了吧！說不定已經有孩子了吧！再過幾年，就會『綠葉成蔭子滿枝』了！該把她忘了，忘了。他摔摔頭，定睛看塞薇，塞薇綻放著一臉的笑，燦爛如陽光。

和塞薇在一起的日子裡，刀娃總是如影隨形般的跟著他們。這十歲大的孩子，帶著與生俱來的野性與活力，不論打魚時，不論打獵時，總是快快樂樂的唱著歌。對夏磊，他不止是崇拜和佩服，他幾乎是『迷戀』他。

洱海，是大理最大的生活資源，也是最迷人的湖泊。蒼山十九峯像十九個壯漢，把溫柔如處子的洱海攬在臂彎裡。夏磊來大理沒多久，就迷上了洱海。和塞薇刀娃，他們三個常常划著一條小船，去洱海捕魚。洱海中漁產豐富，每次撒網，都會大有收穫。這天，刀娃和塞薇，一面捕魚，一面唱著歌，夏磊一面划船，一面聽著歌，眞覺得如在天上。

『什麼魚是春天的魚？』塞薇唱。

『白弓魚是春天的魚！』刀娃和。

『什麼魚是夏天的魚？』塞薇唱。

『金鯉魚是夏天的魚！』刀娃和。

『什麼魚是秋天的魚？』塞薇唱。

『小油魚是秋天的魚！』刀娃和。

『什麼魚是冬天的魚？』塞薇唱。

『石鱸魚是冬天的魚！』刀娃和。

『什麼魚是水裡的魚？』塞薇轉頭看夏磊，用手指著他，要他回答。

『比目魚……是水裡的魚！』夏磊半生不熟的和著。

『什麼魚是岸上的魚？』塞薇唱。

『娃娃魚是岸上的魚！』夏磊和。

刀娃太快樂了，搖頭晃腦的看著塞薇和夏磊，嘴裡哼著，幫他們配樂打拍子。

『什麼魚是石頭上的魚？』

『大鱺魚是石頭上的魚！』

『什麼魚是石縫裡的魚？』

『三線鷄是石縫裡的魚！』

『哇哇！』刀娃大叫：『三線鷄不是魚！你錯了！你要受罰！』

『是呀！』塞薇也笑：『從沒聽過有魚叫三線鷄！』

『不騙你們！』夏磊笑著說：『三線鷄是一種珊瑚礁魚，生長在大海裡，不在洱海裡，是鹽水魚，身上有三條銀線！』他看到塞薇和刀娃都一臉的不信任，就笑得更深了。『我大學裡讀植物系，動物科也是必修的！不會騙你們的啦！』

『植物系？』刀娃挑著眉毛看塞薇。『植物系是什麼東西？』

『是……很有學問就對了！』塞薇笑著答。

『來來來！』刀娃起鬨的。『不要唱魚了，唱花吧！』

於是，塞薇又接著唱了下去：

『什麼花是春天的花？』

『曼陀羅是春天的花！』夏磊接得順口極了。

『什麼花是夏天的花？』塞薇唱。

『六月雪是夏天的花！』夏磊和。

『什麼花是秋天的花？』塞薇唱。

夏磊一時想不起來了，刀娃拚命鼓掌催促，夏磊想了想，衝口而出：

『爬牆虎是秋天的花！』

刀娃和塞薇相對注視，刀娃驚訝的說：

『爬牆虎？』接著，姐弟二人同時嚷出聲：『植物系的，錯不了！』就相視大笑。

夏磊也大笑了。塞薇故意改詞，要刁難夏磊了：

『什麼花是「四季」的花？』

夏磊眼珠一轉，不慌不忙的接口：

『塞薇花是四季的花！』

塞薇一怔，盯著夏磊看，臉紅了。刀娃看看塞薇，又看看夏磊，不知道爲什麼，樂得合不了嘴。小船在一唱一和中，緩緩的靠了岸，刀娃一溜煙就上岸去了。把整個靜悄悄的碧野平湖，青山綠水，全留給了塞薇和夏磊。

塞薇目不轉睛的凝視著夏磊，夏磊對這樣的眼光十分熟悉，他心中驀然抽痛，痛得眉頭緊鎖，他掉頭去看遠處的雲天，雲天深處，有另一個女孩的臉，他低頭去看洱海的水，水中也有相同的臉。歡樂一下子就離他遠去，他低喃的脫口輕呼：

『夢凡！』

塞薇的笑容隱去，她困惑的注視著夏磊，因夏磊的憂鬱而憂鬱了。

36 夢凡

這年的夏天，夢華和天藍結婚了。

婚禮盛大而隆重，整整熱鬧了好幾天。康家車水馬龍，賀客盈門，家中擺了流水席，又請來最好的京戲班子，連唱了好多天的戲。康秉謙自從心眉死了，夏磊走了，就鬱鬱寡歡，直到夢華的婚禮，這才重新展開了歡顏。

喜氣是有傳染性的，這一陣子，連銀妞、翠妞、胡嬤嬤都高高興興，人人見面，都互道恭喜。但是，夢凡的笑容却越來越少，冠蓋滿京華，斯人獨憔悴。她和天白的婚期，仍然遲遲未定。

天白已經留在學校，當了助教。夢華和天藍結婚後，他到康家來的次數更多了，見到夢凡，他總是用最好的態度，最大的涵養，很溫柔的問一句：

『夢凡，妳還要我等多久呢？』

夢凡低頭不語，心中輾轉呼喚：夏磊，夏磊，你在何方？一去經年，杳無音訊。夏磊，夏磊，你太無情！

『妳知道嗎？』天白深深的注視著她。『夏磊說不定已經結婚生子了！』

她震動的微顫了一下，依舊低頭不語。

『好吧！』天白忍耐的，長長的嘆了口氣。『我說過，我會等妳，那怕妳要我等妳十年、二十年、一百年……我都會等妳！我不催妳，但是，請妳偶爾也爲我想想，好嗎？我今年已經二十三歲了！妳是不是預備讓我們的青春，就浪費在等待上面呢？』

『天白，你……你不要在我身上……』她想說：『繼續浪費下去了！』但她却說不出口。天白很快的做了個阻止的手勢：

『算了算了！別說！我收回剛剛那些話。夢凡！』他又嘆了口長氣：『當妳準備好了，要做我的新娘的時候，請通知我！』

夢凡始終沒有通知他，轉眼間，秋天來了。

這天，一封來自雲南的信，翻山越嶺，終於落到了天白手中。天白接信，歡喜欲狂。飛奔到康家，叫出夢凡、夢華、天藍、康秉謙……大家的頭擠在一塊兒，搶著看，搶著讀，每個人都熱淚盈眶，激動莫名。

這封信是這樣寫的：

親愛的天白和夢凡：我想，在我終於提筆寫信的這一刻，你們大概早已成親，說不定已經有了小天白或小夢凡了！算算日子，別後至今，已經一年八個月零三天了！瞧，我真是一日又一日計算著的！

自從別後，我沒有一天忘記過你們，沒有一天不在心裏對你們祝福千遍萬遍，只是我的行蹤無定，始終過著飄泊的日子，所以，也無法定下心來，寫信報平安。我離開北京後，先回到東北，看過頹圮傾斜的小木屋，祭過荒煙蔓草的祖墳，也一步步踩過童年的足跡，心中的感觸，眞非筆墨所能形容，接著，我漂流過大江南北，穿越過無數的大城小鎮，終於，終於，我在遙遠的雲南，一個歷史悠久、民風淳樸的小古城——大理，停駐了我的脚步。

大理，就是唐朝的南詔國，也是『勒墨』族的族人聚居之處，『勒墨』是漢人給他們的名稱，事實上，他們自稱爲『白族』。白族和大理，是一切自然之美的總和！有原始的純眞，有古典的浪漫，我幾乎是一到這兒，就爲它深深的悸動了！我終於找到了失去的自我，也重新找回生活的目標和生存的價值！天白和夢凡，請你們爲我放心，請轉告乾爹，我那麼感激他，給了我教育，讓我變成一個有用之身，來爲其他的人奉獻！我眞的感激不盡，回憶我這一生，從東北到北京，由北京到雲南，這條路走得實在稀奇——我不能不相信，冥冥中自有神靈的安排！

目前，我寄居於族長家中，以我多年所學的醫理藥材和知識，爲白族人治病解紛，也經常和他們的『賽波』（漢人稱他爲『巫師』）辯論鬥法，閒暇時，捕魚打獵，秋收冬藏。這種生活，似乎回到了我十歲以前，只是，童年的我隱居於荒野，難免孤獨。現在的我，生活在人群之中，卻難免寂寞！是的，寂寞皆因思念而起！思念在北京的每一個親人，思念你們！曾經午夜夢回，狂呼著你們的名字醒來，對著一盞孤燈，久久不能自已。也曾經在酒醉以後，滿山遍野，去搜尋你們的身影，徒然讓一野的山風，嘲笑自己的顚狂。總之，想你們，非常非常想你們！這種思念，不知何時能了？想我等這樣『有緣』，當也不是『無份』之人！有生之年，盼有再見之日！天白、夢凡，千祈珍重！並願乾爹乾娘身體健康，夢華、天藍萬事如意！

夏磊敬書，一九二一年七月於雲南大理

夢凡看完了信，一轉身，她奔出了大廳，奔向迴廊，奔進後院，奔出後門，她直奔向樹林和曠野。滿屋子的人怔著，只有天白，他匆匆丟下一句：

『我找她去！』

就跟著奔了出去。

夢凡穿過樹林，穿過曠野，毫不遲疑的奔向望夫崖。到了崖下，她循著舊時足跡，一直爬到了崖頂，站在那兒，她迎風而立，舉目遠眺。遠山遠樹，平疇綠野，天地之大，像是無邊無際。

她對著那視線的盡頭，伸展著手臂，仰首高呼：

『夏磊！我終於知道你在何方了！大理在天邊也好，在地角也好，夏——磊！我來了！』

隨後追上來的天白，帶著無比的震撼，聽著夢凡挖自肺腑的呼叫。他怔著，被這樣強烈而不移的愛情震懾住了。他一動也不動的看著夢凡。

夢凡一轉身，發現了天白。她的眸子閃亮，面頰嫣紅，嘴唇濕潤，語氣鏗鏘，所有的生命力，青春，希望……全如同一股生命之泉，隨著夏磊的來信，注入了她的體內。她衝上前，抓住天白，激動，堅決，而熱烈的說：

『天白，我只有辜負你了！我要去找夏磊！你瞧！』她用力拍拍身後的石崖。『這是「望夫崖」！古時候的女人，只能被動的等待，所以把自己變成了石頭！現在，時代已經不同了！我不要當一塊巨石，我要找他去！我要追他去！』

天白定定的看著夢凡，他看到的，是比望夫崖傳說中那個女人，更加堅定不移的意志。忽然間，他覺得那塊崖石很渺小，而夢凡，卻變得無比無比的高大。

『這是一條漫長的路，』他沉穩的，不疾不徐的說：『總該有人陪妳走這一趟！當年，夏磊把妳交給了我。如今，不把妳親自送到夏磊身邊，我是無法安心的！也罷，』他下定決心的說：『我們就去一趟大理！』

夢凡眼中，閃耀著比陽光更加燦爛的光芒，這光芒如此璀璨，使她整個臉龐，都綻放著無比的美麗。

這美麗——天白終於明白了——這美麗是屬於夏磊的。

37 望夫雲

這年冬天，夏磊來到大理，已經整整一年了。他有了自己的小屋，自己的小院，自己的照壁，自己的漁船，自己的獵具……他幾乎完全變成一個白族人了。

他和白族人變得密不可分了。當他建造自己的小屋時，塞薇全家和白族人都參加了工作行列，大家幫他和泥砌磚，雕刻門樓。當他造自己的小船時，全白族人幫他伐木造船，還為他的船行了下水典禮。塞薇為他織了漁網，刀娃送來全套的釣具。賽波為表示對他的拜服，送來弓箭獵具，歡迎這位『本主神』長駐於此。關於『本主神』這個稱呼，他和白族人間已經有理說不清，越說越糊塗。尤其，當他有一次，力克白族人的迷信，救下了一對初生的雙胞胎嬰兒——白族認為生雙胞胎是得罪了天神，必須把兩個孩子全部處死，否則會天降大難，全村都會遭殃。夏磊用自己的生命力保嬰兒無害，大家因爲他是本主神而將信將疑。孩子留了下來，幾個月過去，小孩活潑健康，全村融融樂樂，風調雨順。嬰兒的父母對夏磊感激涕零，在家裡豎上他的『本主神神位』，早晚膜拜，賽波心服口服，一心一意想和『本主神』學法術。這『本主神』的『法力』，更是一傳十，十傳百，遠近聞名。

夏磊知道，要破除白族的迷信，不是一朝一日的事，他不急，有的是時間。他開始教白族人認字，開始灌輸他們醫學的知識，開始把自己植物系所學的科學方法，用在畜牧和種植上。收穫十分緩慢，但是，却看得出成效。白族人對他，更加喜愛和敬佩了。最怕的事，是『本主神』有朝一日，會棄他們而去。最關心的事，是『本主神』一直沒有一位『本主神娘娘』。白族的姑娘都能歌善舞，長於表現自己。也常常把『繡荷包』偷偷送給夏磊，只是，這位本主神不知怎的，就是不解風情。塞薇長侍於夏磊左右，似乎也無法佔據他的心靈。

然後有這麼一天，他們在洱海捕魚，忽然間，天上風捲雲湧，出現了一片低壓的雲層，把陽光都遮住了。塞薇抬頭看著，清清楚楚的說：

『你瞧！那是望夫雲！』

『妳說什麼?妳說什麼?』夏磊太震動了,從船上站了起來,瞪視著塞薇:『妳再說一遍!』

『望夫雲啊!』塞薇大惑不解的看夏磊,不明白他何以如此激動。她伸手指指天空。『這種雲,就是我們大理最著名的「望夫雲」啊!』

『望夫雲?』夏磊驚怔無比。『爲什麼叫望夫雲?』

『那片雲,是一個女人變的!』塞薇睜著黑白分明的大眼睛,不慌不忙的解釋。『每當望夫雲出現的時候,就要颳大風了。風會把洱海的水吹開,露出裡面的石騾子!因爲,那個石騾子,是女人的丈夫!』

夏磊呆呆看著塞薇,神思飄忽。

『這故事發生在一千多年以前,那個女人,是南詔王的公主。』塞薇繼續說:『公主自幼配給一個將軍。可是,她卻愛上了蒼山十九峯裡的一個獵人,不顧家裡的反對,和獵人結爲夫妻,住在山洞裡面。南詔王氣極了,就請來法師作法,把獵人打落到洱海裡面,變成一塊石頭,我們稱它爲石騾子!獵人變成石頭,公主憂傷成疾,就死在山洞裡,死後,化爲一朶雲彩,衝到洱海頂上,引起狂風,吹開洱海,直到看見石騾子爲止!這就是我們家喻戶曉的「望夫雲」!』

夏磊不可置信的抬頭看天,再看洱海,又抬頭看天,太激動了,情不自禁,大跨步在船中邁起步來：

『我以爲我已經從望夫崖逃出來了！怎麼還會有望夫雲呢！怎麼會呢……』

『喂喂！』塞薇大叫：『你不要亂動呀，船要翻了！眞的，船要翻了……』

說時遲，那時快，船眞的翻了。夏磊和塞薇雙雙落水，連船上拴著的一串魚，也跟着回歸洱海。幸好塞薇熟知水性，把夏磊連拖帶拉，弄上岸來，兩人濕淋淋的滴著水，冷得牙齒和牙齒打戰。塞薇瞪著夏磊的狼狽相，突然忍不住大笑起來：

『原來，本主神不會游泳啊！我以爲，神是什麼事都會做的！』

『我跟妳說了幾百次了，我不是……』

『本主神！』塞薇慌忙接口說。說完，就輕快的跳開，去收集樹枝，來生火取暖。

片刻以後，他們已經在一個岩洞前面，生起了火，兩人分別脫下濕衣服，在火上烤乾。還好岩洞裡巨石嵯峨，塞薇先隱在石後，等夏磊爲她烤乾了內衣，她再爲夏磊烤。那是冬天，衣服不易乾，烤了半天，才把內衣烤到半乾。也來不及避嫌了，兩人穿著半濕的，輕薄的內衣，再烤著外衣。一面烤衣服，夏磊第一次告訴了塞薇，有關望夫崖和夢凡的故事。塞薇用心的聽，眼眶裡盛滿了淚。

『現在，我才知道，夢凡兩個字的意思！』她感動得聲音哽咽。突然間，熱情迸發，她伸出手去，緊緊握住了夏磊的手，熱烈的說：『你的望夫崖，遠遠在北方，你現在在南方了，離那邊好遠好遠，是不是？不要再去想了，不要再傷心了……我……我唱調子給你聽吧！』於是，她清脆婉轉的唱了起來：

『大路就一條，
小路也一條，
大路小路隨你挑，
大路走到城門口，
小路彎彎曲曲過小橋。
過小橋，到山腰，
大路小路併一條，
走來走去都一樣啊，
金花倚門繡荷包。

繡荷包，掛郎腰，
荷包密密縫，
線兒密密繞，
繞住郎心不許逃……』

調子唱了一半，刀娃沿著岸邊，一路尋了過來，看見兩人此等模樣，不禁大驚：

『你們起火幹什麼？烤魚吃嗎？』

『魚？』夏磊這才想起來，回頭一看：『糟糕，魚都掉到水裡去了！』

『魚都掉到水裡去了？』刀娃看看塞薇，又看夏磊：『你們兩個，也掉到水裡去了嗎？』

『哦，哦，唔……』夏磊猛然驚覺，自己和塞薇都衣衫不整，想解釋：『是這樣的，我們在船上聊天，我一個激動，就站起身來……船不知道怎麼搞的，就翻掉了……』

不解釋還好，一解釋就更曖昧了。刀娃沒聽完，就滿臉都堆上了笑，他手舞足蹈，在草地上又跳又叫：

『好哇！好哇！你們都掉進水裡，然後就坐在這裡烤衣服，唱調子，好哇！好哇！你們繼續烤衣服唱調子，我回家去了……』

刀娃一邊嚷著，一邊飛也似的跑走了。

『刀娃！刀娃！』夏磊急喊，刀娃却早已無影無踪。他無奈的回過頭來，看到的是塞薇被火光燃得閃亮的眼睛，和那嫣紅如醉的面龐。

這天晚上，塞薇的父母拎著一塊純白的羊皮，來到夏磊的小屋裡。兩位老人家笑得合不攏嘴：

『這是塞薇陪嫁的白羊皮，我們給她挑選了好多年了。是從幾千隻白羊裡選出來的！你瞧，一根雜毛都沒有！』塞薇的父親說。

『那些「八大碗」的聘禮都免了！你從外地來，我們不講究這些了！所有禮節跟規矩，我們女家一手包辦！』塞薇的母親說：『「雕梅」早就泡好了，至於「登機」，就是新娘的帽子，也都做了好些年了！』

『婚禮就訂在一月三日好了，好日子！這附近八村九寨的人都會到齊，我們要給你們兩個辦一個最盛大的白族婚禮！大家唱歌，跳舞，喝酒，狂歡上三天三夜！』塞薇的父親說。

『你什麼都不要管，就等著做新郎吧！你全身上下要穿要戴的，都由我們來做，我保証你，你們會是一對最漂亮的白族新郎和新娘！』塞薇的母親說。

夏磊被動的站著，眼睛睜得大大的。這是天意嗎？自己必須遠迢迢來到大理，才找到自己的定位？以前在冠蓋雲集的北京，只覺自己空有一腔熱血，如今來到這世外桃源的大理，才發現『活著』的意義——能爲一小撮人奉獻，好過在一大群人中迷失——人生，原來是這樣的。他想起若干年前，對康秉謙說過的話：

『說不定我碰到一個農婦村姑，也就幸幸福福過一生了！』

他注視那兩位興沖沖的老人，伸手緩緩的接過了白羊皮。羊皮上的溫暖，使他驀然想起久遠以前，有隻玩具小熊的溫暖，那隻小熊，名叫奴奴。他心口緊抽了一下，不！過去了！久遠以前的事，都過去了！他把白羊皮，下意識的緊抱在胸前。

38 大理

距離夏磊和塞薇的婚禮，只有三天了，整個大理城，都籠罩在一片喜悅裡。這門婚事，不是夏磊和塞薇兩個人的事，是白族家家戶戶的事。婚禮訂在三塔前的廣場上舉行，老早老早，大家就忙不贏的在廣場上張燈結彩，掛上成串的燈籠和鞭炮，又準備了許多大火炬，以便徹夜騰歡。小伙子們和姑娘們，自組了樂隊和舞蹈團，在廣場上吹吹打打的練習，歌聲繚繞，幾里路之外都聽得到。

就在這片喜悅的氣氛中，一輛馬車緩緩駛進了大理城。車上，是僕僕風塵，已經走了兩個多月的一行人：天白，夢凡，康忠，和銀妞。終於，終於，夢凡有志者，事竟成，在天白陪同下，在康忠和銀妞的保護下，登山涉水，路遠迢迢的追尋夏磊而來！

車子駛進大理，天白和夢凡左右張望，整齊的街道，兩邊有一棟棟白色的建築，每棟建築，都有個彩繪雕花的門樓，和參差有致的白色圍牆，牆頭上，伸出了枝椏，開著紅色的山茶花，幾乎家家戶戶，都有茶花，眞是美麗極了。街上，一點也不冷清，熙來攘往的人群，穿著傳統的白族服裝，人人臉上綻著笑容，彼此打著招呼。

『哎，這兒，和我想像中完全不一樣！』天白看了夢凡一眼。『我以爲是個荒涼的小村落呢，那知道，是個古典雅致，別有風味的小城嘛！』

『白族和大理，是一切自然之美的總和！』夢凡眼裡閃著光彩，心臟因期待而跳得迅速，臉頰因激動而顯得嫣紅。她背誦著夏磊信中的句子，那些字字句句，她早就能倒背如流了。『有原始的純眞，有古典的浪漫！就是這兒了！就是這樣的地方，才能留住夏磊！』

天白深深看了夢凡一眼。

『我下車去問一問，看有沒有人知道夏磊的地址！』

天白跳下車去，攔住了一位白族老人。

『請問這位先生，有一個名叫夏磊的漢人，不知道您認不認識？他住在什麼地方？』

老人一驚，笑容立刻從眼角唇邊，漾了開來。

『你說本主神啊！認識！當然認識啊！他住在街的那一頭！』老人打量他。

『我是說夏磊啊！』天白困惑的。『不是什麼神！』

『夏磊？』一個年輕小伙子湊了過來。『找本主神啊！你是本主神的親戚嗎？』

『我帶你去！』一個白族少女歡天喜地的說：『你一定是趕來參加婚禮的，是不是？』

天白心頭大震，婚禮！本主神！他忽然覺得，大事不妙。抬頭看看馬車，他匆匆擺脫了街上的路人，三步兩步走回車邊，跳上車子，他對滿臉期待的夢凡說：

『夏磊竟然變成神了，這太不可思議了。我想，我們先找家客棧，歇下腿來。銀妞，康忠，你們陪著小姐，我去把夏磊找到了再說！』

『他……他確定在大理嗎？』夢凡急急的問。『他沒有離開這兒，又去了別的地方嗎？』

『他確定在大理……』天白猶疑了一刻說：『只是情況不明，需要瞭解一下！』

夢凡看了天白一眼，微有所覺，不禁有所畏懼的沉默了。臉上的嫣紅立刻就褪色了。

他們很快就找到了一家『四海客棧』，天白安頓了夢凡，又命康忠和銀妞侍候著，他匆匆就奔出客棧，去找尋那個已變成『本主神』的夏磊！

夏磊正站在族長的天井裡，在衆親友包圍下，試穿他那一身的白族傳統服裝。塞薇也在試她的新娘裝，白上衣，白裙子，袖口，大襟和下襬上，繡滿了一層又一層艷麗的花朵。那頂名叫『登機』的帽子，是用金線和銀線繡出來的，上面綴滿了銀珠珠，還垂著長長的銀色流蘇，眞是美麗極了。夏磊看著盛妝的塞薇，不能不承認，她實在是充滿了異族情調，而又『艷光四射』的！

天井中熱鬧極了，穿梭不斷的白族人，叫著，笑著，鬧著，向族長夫婦道賀著，一群白族小孩，在大人腿下，奔來繞去。而刀娃，竟在牆角生了個爐子，烤起辣椒來了。這一烤辣椒，夏磊連打了好幾個噴嚏，接著，塞薇也開始打噴嚏，滿天井中，老老少少，接二連三，打起噴嚏來。夏磊又是眼淚又是鼻涕的喊：

『刀娃！你烤辣椒做什麼呀！哈……哈……哈啾！』

『我烤「氣」椒！祝你們兩個永遠「氣氣蜜蜜」！』刀娃自己，也是『哈啾』不停，笑著說。原來，白族人把『辣』唸爲『氣』，把『親』也唸爲『氣』。烤『氣椒』，是取諧音的『親親愛愛』，討個吉祥。

『哈啾！』族長嚷著：『刀娃！洞房花燭夜才烤氣椒，你現在烤什麼？』

『洞房的時候，我再烤就是了！』刀娃笑嘻嘻的答：『我已經等不及了，管不了那麼多……』話沒說完，他就『哈啾！哈啾！』連打了兩個好大的噴嚏。

全天井的人，又是叫，又是笑，又是說，又是『哈啾』，眞是熱鬧極了。塞薇早已『哈啾』不已，笑得花枝亂顫，帽子上垂下的流蘇，也跟著前搖後晃，煞是好看。

就在這一片喜氣中，天白跟著一位帶路的白族少女，出現在敞開的大門前。

『夏磊！』天白驚呼，目瞪口呆的看著全身白衣白褲，腰上繫著紅帶子的夏磊。

夏磊猛一抬頭，看到滿面風霜的天白。他不能相信這個！這是不可能的！他往前跨了一步，張大了眼睛，再看天白。眼睛花了，一定的！他摔摔頭，再看天白。

『天白？』他疑惑的。『楚天白？』

『是啊！』天白激動的大吼出聲。『我是楚天白！從北京馬不停蹄的趕來找你了！但是，你是誰呢？你這身服裝又代表什麼？你還是當年的夏磊嗎？』

夏磊震動的瞪視著天白，忽然有了眞實感。

『你眞的來了？你怎麼來了？』他大大的吸口氣，頓時情緒澎湃，不能自已。『你怎麼不在北京守著夢凡，跑到大理來找我幹什麼？難道……他顫慄了一下。是乾爹……怎樣了？還是乾娘……』

『不不！他們沒事！他們都很好！』天白急忙應著。『北京的每個人都好，夢華和天藍都快有小寶寶了！全家都高興得不得了……』

『那！』夏磊直視天白，喘著氣問：『你、你、你呢？』

『我、我、我怎的？』

『你、你、你有小寶寶了嗎？』

天白四面一看，衆白族人已經圍了過來，好奇的看天白，又好奇的看夏磊，一張張面孔上，都浮現著『欲知眞相』的表情，而那個戴著頂光燦燦的大帽子——美若天仙般的白族姑娘——已經走過來，默默的瞅著他出神了。

『我們一定要在這種情況下來「話舊」，和細述「別後種種」嗎？』天白問。

夏磊回過神來，回頭看了衆白族人一眼。

『對不起！』他大叫著說：『這是我的兄弟楚天白，他從我的老家北京趕來找我了！對不起，我要和他單獨談一談！』說完，他抓著天白的手腕，就急奔出天井。『我們走！』

終於，天白和夏磊，置身在洱海邊的小樹林裡了。

『快告訴我！』夏磊搖撼著天白：『你怎麼會來找我？你爲什麼會來找我？』

『你先告訴我！』天白雙手握拳，激烈的吼：『你這身白族服裝代表什麼？你剛剛在天井裡做什麼？那個盛裝的白族少女是怎麼回事？你說！快說！』

『那是塞薇！我和她……三天之後要行婚禮了！』

天白整個人怔住，半晌，都動也不能動，話也不能說，氣也喘不過來。

『天白，』夏磊的臉色變了。『兩年了！你和夢凡，是什麼時候完婚的？』

天白渾身震顫，握起了拳，他一拳揮在夏磊肚子上。夏磊腰一彎，他又用膝蓋一頂，頂在夏磊的下巴上。

『我打你這個本主神！我打你這個莫名其妙的白族人！』他撲上去，抓起夏磊胸前的衣服。『夢凡！你心裡還有夢凡這個名字嗎？你已經有了白族新娘，你還在乎整天站在望夫崖上的康夢凡嗎？』

『夢凡為什麼還站在望夫崖上？』夏磊大驚失色，嘶啞的吼著：『你怎麼允許她站在望夫崖上？她的喜怒哀樂，都是你的事了！你怎麼不管她？』

『如果我管得了她，我還會來找你嗎？你已經變成夢凡所有的痛苦，所有的希望，所有的等待，所有的一切的一切！我鬥不掉她心中那個你！我毀不掉她心中那個你！所以，直到如今，我沒有和她完婚！直到如今，她還站在那個見鬼的望夫崖上，等你回去娶她！』

夏磊大大的震動了，掙脫了天白的手，他連連後退了好幾步，面色慘然的瞪視著天白。

『你這些話是什麼意思？』

『我在告訴你一件事實！我不和你搶了，不和你爭了！我終於認清楚了，每個人有屬於自己的夢！我已下定決心，要成全你和她！你乾爹乾娘也點頭了！所以，我來找你。為的是，請你回北京去！回北京去面對夢凡！』

『乾爹乾娘點頭了？』他怔怔的說：『回北京去？』

『是的！』天白用力喊著：『你說，你是要大理的塞薇，還是北京的夢凡？你給我一句話！如果你要塞薇，我二話不說，掉頭就走！如果你要夢凡，你也二話不說，掉頭就跟我走！』

夏磊紛亂的迎視著天白的眼光，心神全亂了。

『不不！』他掙扎的說：『我當初千方百計的要她，是你不許我要她！等我已定下心來，另闢新局，你又要我回到那是非之地去？』他痛定思痛，瞻前顧後。『不不！我好不容易解脫了！你不可以再誘惑我，再煽動我！大理，已經是我的家，是我心靈休憩的所在……我不能再丟下這個攤子，丟下塞薇，做第二次的逃兵！我不能！』

『這麼說，』天白絕望的。『你要定塞薇了？你變了心？你再也不回頭了？好好，算我白跑了這一趟！好好，算我認清了你！』

天白甩開夏磊，轉身就走。

夏磊回過神來，不禁急呼：

『天白！天白！』

天白衝出了樹林，頭也不回的絕塵而去。

39 夢凡

夢凡站在洱海客棧的門口，已經引頸盼望了許久。無論銀妞康忠怎樣苦勸她回房休息，她就是不肯。站在那客棧外的廣場上，她焦灼的、緊張的站立著，望眼欲穿。

天白激動的奔來了。夢凡整個人像繃緊的弦，她注視天白，顫聲問：

『你找到他了嗎？你見到他了嗎？』

『我見到了！』天白咬牙說。

『他怎樣？他好不好？』夢凡眼光灼熱，聲音急切。

『他很好，他好得不能再好了！』天白一把握住夢凡的手腕。『夢凡！妳答應過我，如果夏磊已有改變，妳會死心的！妳跟我說過，妳有心理準備……』

『是，是。』夢凡短促的應著，焦急的。『你說吧！我什麼都能承受！他怎樣？到底怎樣？』

『他變了！』天白脫口而出。『他不是以前那個夏磊了！他在這裡，成了聲名大噪的本主神，身邊有了一個白族女孩……他三天之後就要結婚了……』

夢凡什麼都聽不見了，像有個焦雷，在她眼前轟然炸開，只感到腦中一片空白，就整個人癱軟下去了。

銀妞一把抱住夢凡癱下的身子，急聲喊：

『天白少爺，你不能慢慢告訴她嗎！小姐！小姐啊！妳醒醒呀！醒醒呀！』

『怎麼辦？』康忠急忙往客棧裡跑：『我去找個大夫來！』

正亂成一團，夏磊忽然排開衆人，直衝而來。

『夢凡？夢凡！』他驚愕至極，震動至極，不能置信的看著夢凡那毫無血色的臉龐。他移過視線，看銀妞，看康忠，再看天白。『你沒有告訴我夢凡來了！你沒有告訴我她親自來大理了！你一個字都沒說……』

『我爲什麼要說呢？』天白昂著頭。『你心裡已經沒有夢凡，我爲什麼要告訴你，她千里迢迢，登山涉水來找你？你不配知道這個！你不配！』

夏磊仆下身子，一下子緊緊抱住了夢凡。剎那間，他眼睛裡什麼都沒有了。沒有天白，沒有銀妞，沒有康忠，沒有塞薇，沒有白族人……天地萬物，驟然凝聚成唯一的軀體，唯一的面龐。夢凡，他心底深處的渴求，他的意志，他的靈魂，他的思想，他的一切……他的夢凡。他用胳膊托住那梳著長髮辮的頭，眼光深深刻刻的凝視著這張唯一的面龐，他低聲的說：『夢凡，畢竟，今生今世，我們誰也逃不開誰。畢竟，今生今世，從東北到北京，已經是上天注定！從北京到大理，只是把注定的事，再注定一次……』他輕輕搖著她的頭，淚水奪眶而出，落在她的面龐上。

夢凡悠然醒轉，睜開眼睛，她接觸到的是夏磊的臉，夏磊痛楚的凝視，和夏磊的淚。她震動的抬起手來，去拭他的淚。

『夏磊，』她喃喃的說：『我看到你了！』

『是的，妳看到我了！』夏磊哽咽而清晰的說：『妳這樣一個小小的女子，要有多大的毅力，才能說服乾爹乾娘，才能翻山越嶺而來，妳把不可能的事，變成了事實！妳不是北京的望夫崖，妳是大理的望夫雲，妳會移動，妳會帶來狂風，吹開洱海，吹醒那個沉睡的石騾子！』

夢凡掙扎起身，站了起來，眼光仍停留在夏磊臉上，生命力迅速的注回她的體內，她面頰紅潤，眼睛閃亮。

『我不知道你在說什麼，』她如醉如痴。『但是，能夠再聽到你的聲音，我就不虛此行了！我眞希望就這樣一直一直聽你說！』

『嗯哼！』天白重重的咳了一聲，喉中沙啞，眼中充淚，看了看四周已聚攏的白族人。『你們兩個，能不能換一個地方去敍舊呢？再這樣繼續說下去，我看，整個大理市的人都要來看戲了！』

一句話提醒了夏磊，他驀的抬頭，這才看到，塞薇牽著刀娃，站在一大排白族人的前面，目不轉睛的盯著這一幕。她頭上，沒有戴那光閃閃的帽子，身上，却仍然穿著那件華麗的白族新娘服。

『塞薇！』夏磊苦惱的喊了一聲。

塞薇走了過來，仔細凝視夢凡。夢凡在這樣強烈的注視下驚覺了，她揚起睫毛，迎視著塞薇。兩個女人對視了好一刻。然後，塞薇輕聲問：

『妳要把他帶回北京嗎？』

夢凡無言，飛快的看了夏磊一眼。

『塞薇，』夏磊攔了進來，歉然的看著塞薇，眼光裡，盛滿了歉疚和無奈。『我們的婚禮，必須取消！因爲，夢凡，她來了！妳知道……』

『我知道！』塞薇點著頭，直視了夢凡片刻：『我懂了！』回過身子，他緊緊盯著夏磊：『你的意思是，我們的婚禮，沒有了？』

天白、銀妞、康忠都挺直了背脊，目不轉睛的看夏磊。夏磊咬了咬牙，肯定的點了點頭。

塞薇一轉身，拉起了刀娃的手。刀娃已氣憤得滿臉通紅，眼睛裡全是怒火。

『我們走！』塞薇說。

姐弟兩個，很快的消失了身影。

夏磊接觸到許多對惱怒的眼光，他坦率的迎視著這些眼光，空氣中忽然凝聚了一種緊張的氣息。夢凡有些驚怔了，她環視四周，再看夏磊：

『夏磊，我不是來阻止你的婚禮的，我也不是來破壞你和白族人間的感情的，我更不是來擾亂你寧靜幸福的生活的！我現在見到了塞薇，那個美麗的白族女孩，知道有人像我一樣一樣的愛你，我就很安慰，很滿足了！你……放心，我會趕緊回北京去的！我會把你的幸福和寧靜還給你！』

『妳還不起！』夏磊粗聲說：『妳既然來了，妳就再也還不起我幸福了！除非妳留在我身邊！』他抬眼看天白、康忠、銀妞：『走吧！先去我的小屋裡聚一聚，我們有太多的話，該從頭細談了！』

40

塞薇

塞薇一口氣衝到洱海的岸邊上，她對著那遼濶的洱海，和那環繞著洱海的蒼山十九峯，跪了下去，匐匍於地，痛哭失聲：

『山神啊！海神啊！你們要這樣考驗我嗎？我是這麼愛他呀！我一心一意要當他的新娘呀！山神、海神、獵神、土地神呀，你們告訴我，我該怎麼辦？我該怎麼辦？』

刀娃用力拉了塞薇一把，氣沖沖的說：

『姐，妳不要哭，我們回家告訴爹娘去！就是本主神也不可以這麼做！我們把那個漢族女子趕出去！』

塞薇不說話，她只是哭，大聲的哭，號啕痛哭。刀娃在旁束手無策。塞薇哭了足足快一小時才停止。她從洱海岸邊站起來了，用衣袖拭去了淚痕，堅決的看刀娃。

『好了！我知道該怎麼做了！』

『是山神告訴了妳？還是海神告訴了妳？』刀娃驚奇的問：『妳不哭了嗎？』

『不哭了！』塞薇站直了身子，臉龐上重新綻放著光彩。『各方神聖都在我耳朵邊說了一句話！』

『什麼話？』

『網不住的魚兒，是天意如此！』她說著白族的諺語：『放他去吧！他會帶來更多的收穫！』

刀娃似懂非懂。但，塞薇眼睛裡閃耀著陽光，似乎一絲哀愁都沒有了。

41 塞薇與夢凡

於是，這天晚上，塞薇捧著她那頂光燦燦的『登機』，帶著刀娃和她的父母，一起來到了夏磊的小屋。

塞薇逕直走到夏磊和夢凡面前，輪流注視著二人的臉孔，用力的點了點頭。

『看樣子，你們已經談了很多！我猜，我也是你們談話的一個題目吧！』

『塞薇！』夏磊站起身子，看著來的四個人，塞薇平靜嚴肅，刀娃怒不可遏，塞薇的父母，全對他怒目以視。他的心臟猛烈的跳了跳，目前這種情況下，要說清楚自己的處境和決心，實在太難了！在北京望夫崖上發生的種種牽纏羈絆，怎是遠在大理的白族人所能瞭解？他困難的凝視塞薇，艱澀的開了口：『塞薇，我跟妳說過我的故事，我從來沒有隱瞞妳，在我的生命中，一直有個……』

『本主神！』塞薇忽然接口說，目不轉睛的看著夢凡。『妳就是他的本主神啊！每個人心裡有自己的本主神，妳一直是他的本主神！我對妳太熟悉了。妳的地位，不是任何凡間女子可以取代的！今天我一見到妳，已經什麼都明白了！也終於瞭解夏磊爲什麼不能忘記妳！我眞高興……』她喉中微哽了一下，摔摔頭，露出了瀟洒的笑。『我眞高興妳來了！我想，世界上只有妳，才能解除夏磊的不快樂。以後，我們都能看到一個快樂的本主神，和本主神娘娘了！』她雙手高舉自己的『登機』，虔誠的走上前去：『這是白族新娘的帽子，是我的「登機」，我把它送給妳。只請求妳一件事，不要帶走我們的本主神！他在這兒，教我們的孩子讀書認字，爲我們的老弱婦孺治病療傷，我們需要他！』她轉頭熱烈的看夏磊：『我們不只歡迎你，也歡迎你的夢凡！』

夏磊目瞪口呆的看著塞薇，說不出有多麼震動和感激。此時，刁娃衝了過來，對著夏磊胸口，一拳捶去：

『你氣死我了！氣死我了！』他揮著胳臂大叫：『婚禮都準備好了！好多村子、寨子都要來參加婚禮了！我們要唱三天三夜的歌，跳三天三夜的舞，我準備了三大簍的「氣椒」，你怎麼可以這樣子？你怎麼可以取消婚禮！你氣死我了！氣死我了……』

小刀娃還沒有嚷完，族長已大踏步衝了過來。走過去，他不由分說就抓起了夏磊胸前的衣服，把他整個人拎了起來，鼻子對著夏磊的鼻子，眼睛瞪著夏磊的眼睛，他震耳欲聾的大聲吼：

『你想取消婚禮，門都沒有！你把我們白族人小看到什麼地步？遠近三百里以內，苗族，傣族，撒尼族，路南族，奕族……各族的老老少少，都聯絡好了，要來參加這個婚禮，大家要盡興狂歡，怎麼是你說取消就能取消的！你雖然是本主神，也不能這樣不守信用……』

『所以，』塞薇語氣鏗鏘，堅定有力的說：『三天後的婚禮，一定要如期舉行！大家都興沖沖要狂歡一場，我們就讓大家狂歡一場！新郎是現成的，只不過把新娘換個人而已！』

夏磊、天白、銀妞、康忠、夢凡都面面相覷，驚愕得說不出話來。

『夏磊！』族長吼著：『你可以不要我這個笨丫頭，但是，你敢拿我們白族人開玩笑，我們會打斷你的骨頭！』

『爹爹呀！』塞薇睜著美麗的大眼睛。『你不是常常教我嗎？網不住的魚兒，就讓牠去吧！魚兒尚且如此，何況是本主神呢？如果硬要去網那網不住的魚，會把漁網弄破的！爹呵，我們不要弄破漁網吧！何況，你的女兒，還有一大群白族的好青年，在排隊呢！』

族長掀眉瞪眼，重重的放下夏磊。

『誰教你是我們的本主神呢！』他瞪著夏磊，講價似的大聲說：『這麼說，婚禮是不能取消的！怎麼樣？怎麼樣？你依還是不依？你說！』

夏磊全心激盪，感動萬分的對塞薇含淚一笑，說：

『我同意。』他看向夢凡：『妳呢？願不願意當我的白族新娘？願不願意為我留在這個地方？』

『我願意！』夢凡誠心誠意的喊了出來。『我願意！我願意！我願意！』她又一疊連聲的重複著。

塞薇雙手高捧著『登機』，夢凡低下頭來，感動至深的接受了這頂帽子。

『哇！』天白雀躍三丈了。這一生，似乎都沒有如此歡欣過，他大叫著說：『要喝酒！我要喝酒！夏磊，趕快把你密藏的白族酒、苗族酒、撒尼族酒……全體搬出來吧！』

42 白族婚禮

於是，三天之後，夏磊和夢凡，舉行了盛大的白族婚禮。

附近的苗族、撒尼族、路南族、奕族……好多少數民族全來了。壯男和少女組成了不同服裝的隊伍，唱著歌，吹著嗩吶，打著腰鼓，一路跳舞跳進三塔下的廣場，廣場上，火把一束又一束的燃著，準備要通宵達旦的狂歡。他們縱情的喝酒、唱歌，歡呼不斷。

夏磊騎著馬，穿著一身白族服裝，迎娶了夢凡。

夢凡戴著閃閃發光的登機，穿著全是銀色流蘇的白族新娘服，在塞薇和衆白族姑娘的高歌下，簇擁到夏磊面前。衆白族人高聲大叫著：

『新郎新娘喝同心酒！喝同心酒！喝同心酒！』

一個大木盆，盛滿了酒，被一排小伙子送上來。

夏磊和夢凡低頭喝了酒。眾白族人歡呼著，搶上來分剩餘下來的酒。酒盆在眾人手中輪流轉動，許多酒潑灑出來，淋了一身酒的青年男女手攜著手，歡笑的又歌又舞，唱著『迎親調』：

『山茶花最香最香，
引來的蜜蜂最忙最忙，
最漂亮的姑娘，
引來的小伙子最強最強！
山茶花最香最香，
最漂亮的姑娘，
就是今天的新娘！
蜜蜂最忙最忙，
小伙子最強最強，

就是今天的新郎！』

調子一轉，嗩吶聲獨奏了一段。然後，三弦、皮鼓齊鳴，歌聲響徹雲霄：

『天生的一對鴛鴦，
相配的一對孔雀。
貼心的新郎與新娘！
像合意的琴弦，
心跳在一個拍子上，
像合音的葫蘆笙，
心連在一個調子上！
兩顆跳動在一起的心啊，
潔白得像銀子一樣，
像芭蕉蕊一樣芬芳！』

舞蹈的隊伍從四面八方湧來，把夏磊和夢凡簇擁在廣場的中央，隊伍像花瓣般散開，新郎和新娘恰如花蕊，相擁相依。

夏磊伸手托起了夢凡的下巴，凝視著那張閃耀在陽光下的臉龐！望夫崖上的夢凡啊！她畢竟沒有成爲石頭！那從童年時代起，就成爲他心靈的主宰的夢凡啊，終於成爲了他終身的伴侶！他的心熱烘烘的，充滿了對上天的感恩之心。充滿了對夢凡的熱愛與敬佩。從沒有一個女人，追求愛情的決心像夢凡一樣堅強！堅如石，韌如絲，熱如火，柔如水。夢凡，夢凡，妳是怎樣的女人呵！

『夢凡！』他在一片高歌與歡呼聲中，對夢凡感觸萬千的說：『眞沒想到，我們一個出生在冰雪蒼茫的原始森林裡，一個出生在畫棟雕樑的深宅大院裡，我們居然會相遇！相遇之後，又經歷了長達十四年的時間，走了大半個中國，歷經悲歡離合……然後，會在這遙遠的大理城，完成了「白族婚禮」！我終於不能不相信，「千里姻緣一線牽」這句話了！』

夢凡無語，只是痴痴的、痴痴的看著夏磊。這得來非易的新郎呵！然後，雖然在千百雙眼光的注視下，他們却緊緊相擁了。

羊皮鼓咚咚咚狂敲，嗩吶、號角再度齊鳴。白族的歌舞聲響徹雲霄：

『山茶花最香最香，
引來的蜜蜂最忙最忙，
最漂亮的姑娘，
引來的小伙子最強最強……』

天白已經被拉入白族隊伍，也忘形的歌舞起來，連康忠、銀妞也都捲入了歌舞中。

『天生的一對鴛鴦，
相配的一對孔雀，
貼心的新郎與新娘！
像合意的琴弦，
心跳在一個拍子上，

像合音的葫蘆笙，
心連在一個調子上！
兩顆跳動在一起的心啊，
潔白得像銀子一樣，
像芭蕉蕊啊……一樣芬芳！』

——全書完——

一九九〇年十二月二十日完稿於台北可園
一九九一年一月卅一日修正於台北可園

皇冠叢書第一八六二種
《瓊瑤全集》

望夫崖

作　　者—瓊瑤
發 行 人—平鑫濤
出版發行—皇冠雜誌社
台北市敦化北路一二〇巷五〇號
電話◉七一六八八八八
郵撥帳號◉〇〇一〇四二六—九號
登 記 證—局版台誌字第〇九四六號
責任編輯—方麗婉
美術編輯—吳慧雯・劉慧芬
校　　對—劉秋娥・鮑秀珍・林俶萍
印 刷 者—秋雨印刷股份有限公司
台北市忠孝東路三段九六號二F
電話◉七七一〇一七五

初　　版—一九九一年三月
第二五版—一九九一年三月

◉本社長期徵求大專駐校代表，請附自傳歷照寄皇冠出版社企劃組

皇冠
CROWN
<註冊商標第173155號>

國際書碼◉ISBN 957-33-0502-X
Printed in Taiwan
本書定價◉新台幣 150 元　港幣 45 元